食べ物の なぜ 不思議 でわかる！

10歳からの「おいしい」科学

齋藤勝裕

名古屋工業大学名誉教授

KANZEN

ある日のこと……

クルミちゃん、ナルトくん！
こんにちは。

先生！
こんにちは。

ふたりでプリンを
つくったんだ。
おいしくできたから
先生にプレゼント。
どうぞ！

クルミちゃん＆ナルトくん
サイトウ先生の近所に住む、食いしん坊の姉と弟。
甘いものが食べたくて料理にはまっている。

①

ありがとう。
おいしそうなプリンだ。
うれしいなぁ。
上手にかたまっているね。

か、かたまる？
なにか先生に聞きたい
ことが
あったような……。

どうしたんだい？
ふたりともだまり
込んじゃって？

サイトウ先生
食品の科学をやさしく教えてくれる博士。
ミステリー小説家でもある。

②

③

05

食べ物のなぜ・不思議でわかる！
10歳からの「おいしい」科学 もくじ

1章 おいしさって、なんだろう？
～人体の構造を学ぶ～

2章 変化する食べ物たち
～化学反応を知ろう～

3章 加熱・冷却でおいしくなる
〜温度差の化学を知ろう〜

4章 発酵や熟成のしくみ

~微生物の力~

コラム

まだ、習ってない言葉が出てくるかも
しれないけど、気軽に読んでね!

おいしさって、なんだろう？

～人体の構造を学ぶ～
じん たい　こう ぞう　まな

味のちがいって
あじ
どうやって
わかるんだろう？

お酒を飲んでいると
さけ の
顔が赤くなるのは
かお あか
なんでなの？

ナゾが
いっぱいニャ！

ケーキが甘いって感じるのは なぜ?

👉 脳に味を伝える "味センサー"

ぼく、ケーキ大好き!
とくにショートケーキは甘くておいしいよね。
でも、なんで甘く感じるんだろう。

それは、口のなかで味に反応するセンサーがあるからだよ。

しらべてみよう!

身のまわりにはどんな味がある?
ケーキにのっている
果物やチョコはどんな味?
甘い? すっぱい? 苦い?

食べ物の味を感じるしくみ

　ケーキを食べると「甘さ」、塩や醤油・味噌の「塩辛さ」、酢やレモンは「すっぱい」と感じるでしょう。

　味の基本要素には「甘味・塩味・酸味・苦味・うま味」があって、「基本五味」と呼ばれています。

　食べ物が口に入ったとき、おもに舌の上にあるセンサーが食べ物のなかの成分を感知して「これは甘味の成分だ」といった情報を脳に伝えます。これによって「甘くておいしい！」と感じることができるのです。

　この舌のセンサーのことを味蕾と呼んでいます。味蕾とは目にはみえない大きさのつぼみのようなかたちの味覚器官です。舌の上には味蕾が1万個ほどあり、そのなかでも味蕾が多い部分と少ない部分があります。

▶ 味蕾（味センサー）と食べ物

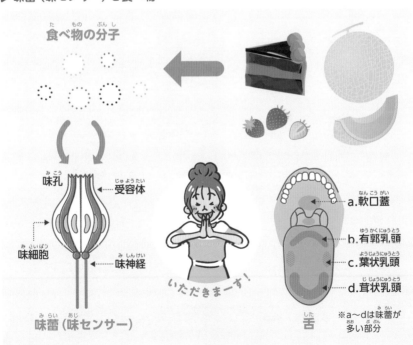

食べ物の分子

味孔　←　受容体

味細胞　←　味神経

味蕾（味センサー）

いただきまーす！

a. 軟口蓋
b. 有郭乳頭
c. 葉状乳頭
d. 茸状乳頭

舌

※a〜dは味蕾が多い部分

味センサーから脳に味が伝わる

　詳しく味蕾をみてみると、味蕾のなかには味細胞という細胞がたくさんあります。味細胞の表面には「受容体」というタンパク質がありますが、食べ物を食べると受容体が食べ物のなかの分子に反応します。受容体が5つの味に反応することで、変形したり、小さな塩や酸味のイオン(※)を味細胞内へ通したりします。その反応が神経を伝わり脳のなかにある味覚野に送られて「甘い！」などとわかるのです。　※イオンとは原子が電気で(+、−)をおびたものです。

▶5つの味を担当する受容体ファミリー

味の分子と出会うと反応して変形するよ！

塩のイオン (Na$^+$)、酸味のイオン (H$^+$) を細胞内に通すよ！

イオンについては81ページもみてね。

12

▶ 味蕾→味細胞→神経→脳の味覚野へ、味が伝わる

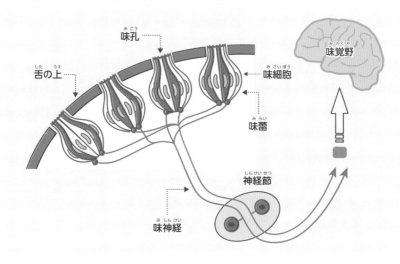

━━━━━ ちょっとひと息 ━━━━━

味の種類が5つになったわけ

　味の種類は西洋では長く「甘い、塩辛い、すっぱい、苦い」の4つの味だとされてきました。しかし、日本では古くから「うま味」という味があることを知っていました。味噌汁につかう昆布や鰹節などの出汁やうま味調味料などがその代表格です。現在では世界的にも「うま味」を加えた5つが味の基本要素となっています。

□ **味の基本は5種類**
□ **味のセンサーは「味蕾」**
□ **味蕾から脳へ味を伝える**

うま味ってなに？

☞ 体をつくるタンパク質 "アミノ酸"、"核酸"

昆布ってお味噌汁の具にしないのに、
なんでつかうのかな？

それは、
うま味の成分を
つかいたいからだよ。

ためしてみよう！

味噌汁に出汁を入れないと
どんな味？
出汁の入っていない味噌汁に
トマトを入れたらどうなる？

14

▶ 1

お
い
し
さ
っ
て
、
な
ん
だ
ろ
う
？
〜
人
体
の
構
造
を
学
ぶ
〜

「うま味＝おいしい味」ではない！

　「うま味」と聞いて、うまい味＝おいしい味と連想するかもしれません。実は、基本五味のひとつである「うま味」は、ほかの4つの味と同様に味を混ぜ合わせてもつくれません。おいしさを感じるためのひとつの要素がうま味というわけです。

　うま味成分を分析すると、おもにアミノ酸のひとつである「グルタミン酸」、核酸に分類される「イノシン酸」、「グアニル酸」の3種類にわけられます。これらにナトリウムやカリウムなどのミネラルが結合した物質の味を総称したものが「うま味」といわれます。

▶ うま味を多く含む食べ物　　　※カッコ内は100g中に含まれる成分量（mg）

グルタミン酸

昆布
(200〜3400)

チーズ
(180〜2220)

白菜
(40〜120)

トマト
(100〜250)

アスパラガス
(30〜50)

ブロッコリー
(30〜60)

タマネギ
(20〜50)

醤油
(400〜1700)

味噌
(100〜700)

イノシン酸

鰹節
(470〜700)

カツオ
(130〜270)

グアニル酸

干しシイタケ
(150)

鶏肉
(150〜230)

牛肉
(80)

豚肉
(130〜230)

グルタミン酸は体をつくるアミノ酸

　グルタミン酸がとくに含まれる量の多い食材は、昆布、トマト、パルメザンチーズ、生ハム、醤油、アンチョビ、味噌などです。実はあらゆる生き物の体に、「グルタミン酸」が含まれています。

　グルタミン酸とは、タンパク質を小さくくだいた「アミノ酸」の一種です。

　私たちの体はだいたい60％が水分で、20％がタンパク質でできています。水分を除くと半分くらいが、タンパク質だというわけです。人体をつくるタンパク質には10万種類がありますが、それは20種類の「アミノ酸」の組み合わせですべてできています。アミノ酸20種類は、どれが欠けても体をつくる部品として足りなくなってしまいます。アミノ酸のひとつであるグルタミン酸の重要性がわかりますね。

▶人体はなにでできている？

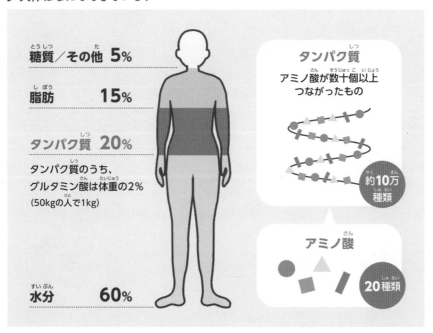

糖質／その他 **5%**

脂肪 **15%**

タンパク質 **20%**
タンパク質のうち、
グルタミン酸は体重の2%
（50kgの人で1kg）

水分 **60%**

タンパク質
アミノ酸が数十個以上
つながったもの

約**10万**種類

アミノ酸

20種類

16

私の体にもグルタミン酸があるの！
食べたうま味が残ってるの？

いいや、食べたうま味はエネルギーや
ほかのアミノ酸づくりでつかっちゃうんだよ。

じゃ、体に残ってるグルタミン酸は
いったいどこからきたの？

タンパク質を細かくして、
体内でつくるんだよ。

▶ 食べ物のタンパク質をつくり変える

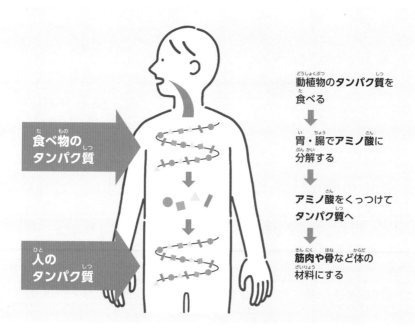

食べ物の
タンパク質

人の
タンパク質

動植物のタンパク質を
食べる

胃・腸でアミノ酸に
分解する

アミノ酸をくっつけて
タンパク質へ

筋肉や骨など体の
材料にする

核酸系のうま味、イノシン酸とグアニル酸

核酸とは新しい細胞をつくり出すために必要不可欠な成分のことで、核酸をつくる成分のひとつが「イノシン酸」です。

「グアニル酸」も核酸をつくる成分のひとつです。グアニル酸は、ほかのうま味成分よりも含まれる食材が限定されています。豊富に含まれているのは干しシイタケで、海苔やドライトマト、乾燥ポルチーニ茸などにも若干含まれています。

イノシン酸が豊富な食材として、ニボシ、鰹節、マグロ、鶏肉、豚肉、牛肉などがあります。うま味はグルタミン酸、イノシン酸、グアニル酸の異なる成分を組み合わせると「うま味の相乗効果」で、格段にうま味を強く感じるといわれています。

▶ 核酸は生き物に必須の成分

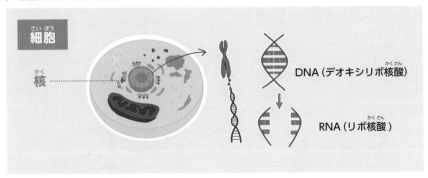

おいしくて大切な役割の核酸

DNA（デオキシリボ核酸）、RNA（リボ核酸）という「遺伝子」を聞いたことがあるでしょうか。実はこれも核酸の仲間です。シイタケにお湯をかけると出てくるうま味は、RNAが分解されたものです。この出汁を飲むと、体内でDNAやRNAをつくる材料にすることができます。つまり、食べ物経由でうま味をとることが、私たちの体づくりに欠かせないのです。

なんだかDNAとかRNAって難しそうね。
先生、カンタンに教えて！

DNAとRNAは体をつくる
建築屋さんなんだよ。

▶体づくりの建築屋さん！ DNAとRNA

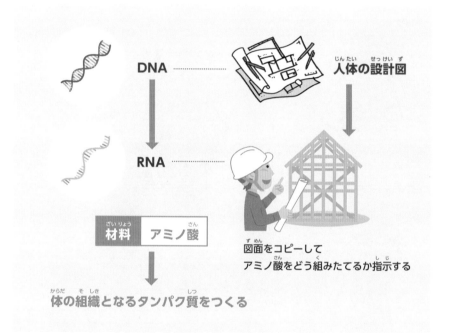

DNA ……… 人体の設計図

RNA ………

材料 アミノ酸

図面をコピーして
アミノ酸をどう組みたてるか指示する

体の組織となるタンパク質をつくる

まとめ

☐ アミノ酸系、核酸系のうま味がある
☐ アミノ酸はタンパク質の最小単位
☐ 核酸はタンパク質をつくる

ピーマンが苦い理由は?

☞ 命を守る"毒センサー"

ぼく、ピーマン苦手なんだよなぁ。
なんでピーマンは苦いの?

ホウレンソウも苦いけれど、
どうしてなんだろうね?

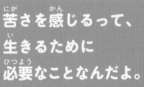

苦さを感じるって、
生きるために
必要なことなんだよ。

ためしてみよう!

ピーマンのほかに苦さを感じる食べ物ってなに? コーヒーやカカオたっぷりのブラックチョコレートはどう感じる?

20

苦味を感じるのは、「毒センサー」が働いているから！

苦味とは、舌を刺激するような苦い味のことで、人間が味覚で感じる基本五味のうちのひとつです。苦い食べ物がどうしても食べられない、"嫌い"と感じるのには理由があります。なぜなら、人間の体は本能的に苦味を「毒」のあるものとして認識するようにつくられているから。人間はみた目で安全な食べ物か判断できなかったため、口に入れたときに苦いと感じればすぐに吐き出すことで安全を守るという「毒センサー」が働いて、体が反射的に避けようとするのです。

この苦味は、甘味や塩味と比べて約1000倍も感じやすく、とくに子どものころはとても敏感に反応してしまいます。子どもが苦いものを嫌うのは、本能的に自分の体を守ろうとしているだけ、なんですね。

▶ 毒センサーが反応

苦 苦

苦

苦い味だ！

食べるな！

キケンだ！

苦味担当 受容体

苦味を出す成分の正体

苦味を感じさせる成分は、コーヒーなどのカフェイン、緑茶などに含まれるカテキン、ビールのイソフムロン、ゴーヤのククルビタシンなどが代表的です。多くの動物は人間と同様、苦味を毒だと感じるため、植物が動物から身を守るために、葉っぱなどに苦味をつくり出したものです。

食べ物の "好き" "嫌い" が生じる理由

苦味だけでなく、すっぱいものや辛いものを「嫌い」と感じるのも、生存のためのセンサーが働いているためです。レモンや酢などを食べたときに感じる「酸味」は、腐敗を示すシグナルとされています。

反対に、基本五味のうち「甘味・塩味・うま味」は本能的に人間が好む味とされています。「甘味」には糖質が多く含まれていますが、この糖質は日々活動するための「エネルギー源」のシグナルと考えられています。同様に「塩味」も本能的に受け入れやすく、おいしいと感じる味です。塩を構成するミネラルは、体内のさまざまなシステムの働きを守り維持する役目があるので、塩が足りないと身体が十分に働かなくなってしまいます。

このように、人間が生きるために不可欠な栄養素、エネルギー・ミネラル・タンパク質と、命をおびやかす腐敗や毒に気づくシグナルとして、食べ物の「好き嫌い」が表れるのです。

▶ 食べ物に好き嫌いがおこる理由

甘味　糖分(炭水化物、ブドウ糖など) ➡ エネルギー源

塩味　ミネラル ➡ 細胞の働きを維持する　好き！

うま味　タンパク質(アミノ酸など) ➡ 体をつくる

酸味　腐ったもの、未熟なもの

苦味　毒物　苦手かも……
※甘味、塩味、苦味はとくに子どもは感じやすい

苦さは感じたくないなぁ。

ブロッコリーやキャベツの苦み成分（PTC）をなにも感じない人がいるんだ。日本人は1割、ヨーロッパ人3割、インド人4割だそう。

そうなんだ。
大人になったら好きになるかなぁ。

苦味はストレス解消役になる!?

　大人が苦いコーヒーをおいしそうに飲むのが不思議だと思いませんか。原因のひとつとして、舌の奥の方にある苦味を感じる味蕾が大人になるほど少なくなるため、苦味を感じにくくなるという理由があります。また、成長の過程で苦味を口にする経験を重ねて「これは体にいい食べ物だ」と脳が認識するようになり、好みが変化していくからです。

　苦味をもたらす成分にはストレス解消に効果的な働きもあります。コーヒーなどに含まれるカフェインは中枢神経系に作用して疲労感を抑え、気分を高めたり、ビールのイソフムロンには自律神経系のバランスを調節してリラックスさせる効果があるのです。

□ 動物は苦味を毒だと感じる
□ 好き嫌いは、生存のセンサーのため
□ リラックス効果がある苦いものも

塩味がないと おいしくない？

☞ 塩は細胞を維持する "ミネラル"

あれ、このお味噌汁、味がしない！
塩気が足りないみたい。

お味噌入れたらおいしいね。
でもなんで？

適度な塩分だと、うま味や甘味を強める働きがあるんだ。でも濃すぎると「イヤだ」と体が拒絶しちゃうんだよ。

しらべてみよう！

味噌汁やスープで
おいしい塩加減を
探してみよう！

塩は命の維持に必須だからおいしい

　私たちの体内に入った食塩は、血液・消化液・リンパ液といった体液のなかでイオンの状態で溶けています。

食塩（NaCL）➡ 塩化物イオン（Cl⁻）＋ナトリウムイオン(Na⁺)

　塩化物イオンは胃酸のもとになって、胃で食べ物を消化したり殺菌したりします。ナトリウムイオンは、脳からの指令を電気信号として伝えたり、小腸で食べ物からとった栄養を吸収する役目を担います。このように塩は全身の細胞の働きを維持するため必須の栄養素であるため、本能的に「おいしい」味に感じるのです。

　ただ塩分のとり過ぎは体に害となるため、適度な塩味を「体に必要な成分だ、おいしい」と感じるようになっています。おいしい塩分量の目安は、肉や魚の焼きものや炒めものについては塩分濃度1.0％ほどです。

▶ おいしい塩分濃度の目安

人の血液の
塩分濃度は 0.9％

0.9％

6つの塩分濃度

塩分濃度	料理のジャンル	代表的な料理
0.8％	汁物	かきたま汁
1％	野菜の塩ゆで、下味	パスタをゆでる
1.2％	普段のおかず	肉じゃが
1.5％	弁当のおかず、常備菜	きんぴらごぼう
2％	浅漬け	キュウリの浅漬け
3％	漬物	大根の漬物

塩味が酸味や苦味を抑える

　塩味という味覚は、塩のおいしさだけでなく、そのほかの味覚にも大きな影響を与えています。

　甘味と塩味を合わせると、「対比効果」によって味が引きたつことがあります。スイカに塩をかけると甘味がきわだちますね。

　また、塩味には、酸味や苦味を抑える「抑制効果」もあります。たとえばスポーツドリンクには、塩化カリウムというとても苦い成分を抑えるために、塩が入っています。梅干しは、塩が梅酢のすっぱさを、梅酢が塩辛さを互いに打ち消し合うことであの独特の味を実現しています。

▶ **塩はいろんな働きがある**

スイカ	出汁	酢の物	漬物
甘味を強める	うま味を強める	酸味を弱める	脱水する

チーズ	パン	果物	おひたし
発酵を調整	グルテンの形成促進	酵素を抑えて変色を防ぐ	ゆでても鮮やかに

濃い塩分と薄い塩分で感じるセンサーがちがう！

　甘味・うま味は体のエネルギーとなるもので、つねに「おいしく感じるもの」です。ところが、塩は濃度が低すぎても、濃すぎてもおいしく感じません。これには、味蕾の受容体が関わっていることがわかってきました。酸味や苦味を担当する受容体が、塩分濃度が高くなると活躍しはじめて、「まずい」という感覚を伝えるのです。

▶濃い塩分のとき、酸味・苦味センサーが働く

※岡勇輝（米国Columbia大学Department of Biochemistry and Molecular Biophysics）『哺乳類の舌において高濃度の塩は苦味と酸味の2つの味覚経路により受容される』より作図

□ 塩は細胞の働きを維持するため必須
□ 適度な塩分がおいしく感じる
□ 塩味で甘味をきわだたせたり酸味や苦味を抑えられる

辛さは基本五味じゃないの？

👉 辛さ・渋さは "痛覚・温度覚"

このカレー、めっちゃ辛いっ！
舌がヒリヒリ痛いようっ！

そう、それが基本五味と
ちがうところなんだよ。

甘味や塩味では
痛くないもんね。

辛さは痛さと
温度で感じるんだ。

ためしてみよう！

麻婆豆腐の味と、
ブドウの皮の味を
感じてみよう。

辛さは刺激の一種!?

カレーや唐辛子、キムチに麻婆豆腐……辛いものを食べたときに感じるピリッとした辛味は、実は基本的な5つの味には入っていません。辛味は痛みなどと同じような「刺激」として、痛覚や温度覚で「痛さ、熱さ」を感じるもの。味覚神経で感じる基本五味とは異なるというわけです。

辛いものを食べると、感覚神経にあるTRPV1という刺激を感じるセンサーの働きが活発になって神経が興奮します。このときに感じる痛みが辛味です。このTRPV1は、43℃以上の熱、酸味などの刺激でも働きが活発になるといいます。「辛さ」の度合いは「スコヴィル値（SHU）」という単位で表すことができます。

▶ **世界の唐辛子のスコヴィル値**

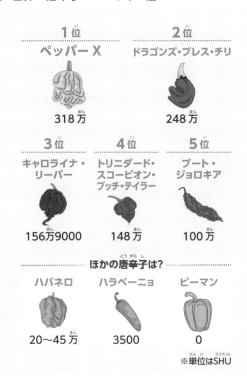

1位		2位
ペッパー X		ドラゴンズ・ブレス・チリ
318万		248万

3位	4位	5位
キャロライナ・リーパー	トリニダード・スコーピオン・ブッチ・テイラー	ブート・ジョロキア
156万9000	148万	100万

─── **ほかの唐辛子は?** ───

ハバネロ	ハラペーニョ	ピーマン
20～45万	3500	0

※単位はSHU

「スコヴィル値（SHU）」は唐辛子に含まれるカプサイシンという辛味物質の割合を測定した数値のこと。鷹の爪は4～5万SHUくらいだよ。ちなみに、世界一辛い唐辛子「ペッパー X」は318万SHUで、生で食べると命がキケンです！

辛味をおいしく感じる理由

　辛くて刺激的な味は、本来動物に対して「食べてはいけない」という警告を与えるものです。なのになぜ人間はなぜ辛さが好きなのでしょうか。

　実は、TRPV1を介して刺激を受けとった脳は、「体がケガをした」と感じて、痛みをやわらげようとβ-エンドルフィンというホルモンを分泌します。このホルモンは別名「快楽ホルモン」ともいわれ、おいしいものを食べたときにも分泌がうながされます。そのため、私たちが辛いものを食べたときにも脳は「おいしい！」と感じ、間接的に幸せな気持ちとなるのです。

　また、唐辛子を食べると、腎臓の上にある「副腎」からアドレナリンが分泌されます。このアドレナリンは別名「興奮ホルモン」とも呼ばれ、発汗をうながし、脂肪やエネルギーの代謝を活発にする働きがあります。そのため、暑い日には汗をかいて体温を下げることができ、寒い日には代謝があがって体がポカポカしてきます。1年中いつでも辛いものを食べたくなるのは、これが理由なのです。

▶ 辛味が快感になるしくみ

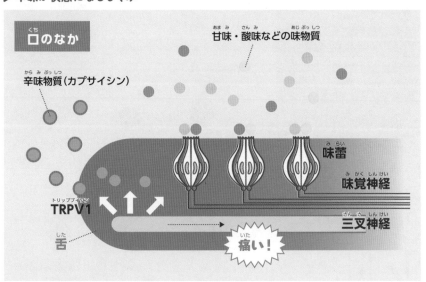

30

渋味も痛覚や温度覚で感じる刺激

渋味のもとになる成分は、ほとんどの植物に含まれるポリフェノールの一種で「タンニン」というものです。渋柿に含まれるカキタンニン、緑茶に含まれるカテキン、紅茶に含まれるテアフラビン、テアルビジンなどがあります。

ポリフェノールには抗酸化作用という、活性酸素の発生と働きを抑える作用があることが知られています。活性酸素とは紫外線の刺激などで発生しますが、大量に発生すると体内の細胞を傷つけたりします。このことによる病気の予防であったり、ストレス軽減などさまざまな効果に期待されているのです。

▶渋味のもと・ポリフェノールで元気に

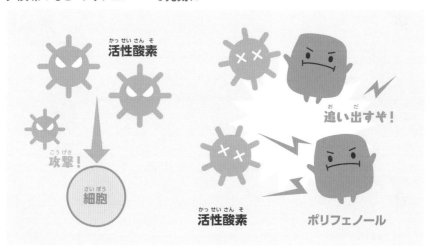

活性酸素

追い出すぞ！

攻撃！

細胞

活性酸素　　　ポリフェノール

まとめ

□ 辛さ、渋さは刺激の一種
□ 快楽ホルモンで、辛さがおいしく感じる
□ ポリフェノールは渋味のもと

ワサビと唐辛子の辛さってちがうの？

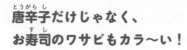 ワサビは"揮発性"、唐辛子は"親油性"

唐辛子だけじゃなく、お寿司のワサビもカラ〜い！

ウッ、鼻がツーンってなるね。

ワサビは涼しくなる感じ！なんで？

ワサビと唐辛子の辛さの成分が、ちがうタイプだからだよ。

ためしてみよう！

ワサビ味のポテトチップスや唐辛子入りスナックで体験しよう。

唐辛子はホット、ワサビはシャープ！

　唐辛子もワサビも食べたときに「カラい！」といいますね。でも、唐辛子は口のなかが熱くなり汗が出るような辛さ、ワサビは清涼感を伴い鼻からツーンと抜けるような辛さを感じるはず。このちがいは、辛さの成分や辛さを感じる知覚点（痛点）の種類が異なることが原因です。

　辛味は、「不揮発性（ホット系）」と、「揮発性（シャープ系）」の大まかに2種類にわけられます。

　ワサビやカラシの辛味のもととなっているのは、「アリル・インチオシアネート」という物質です。唐辛子に含まれるカプサイシンとアリル・インチオシアネートは、どちらも口や鼻にある受容体に結びついて、痛いという刺激を脳に伝えて警告を出します。アリル・インチオシアネートは口のなかの「TRPA1受容体」という知覚点を刺激して辛味を感じますが、カプサイシンは「TRPV1受容体」を刺激します。つまり、辛みをキャッチする場所が異なるわけです。

▶ スパイスと辛味成分

辛さは「ホット系」と「シャープ系」の2種類にわけられます。

辛さの感じ方		スパイス名	おもな辛味成分
ホット ↕ シャープ	**ホット系**	唐辛子	カプサイシン
		胡椒	ピペリン
		山椒	サンショオール
		生姜	ショウガオール
	シャープ系	ニンニク	ジアリルジスルフィド
		カラシ	P-ヒドロキシベンジル・インチオシアネート
		ワサビ	アリル・インチオシアネート

※食べ物によって辛味成分はちがう。

ホット系とシャープ系の辛味のちがい

　唐辛子のカプサイシンは親油性という人の体になじみやすい性質で、舌にとどまりやすく、食べてしばらく辛さが続きます。ワサビなどのアリル・イソチオシアネートは揮発性が高く、蒸気になって成分が口腔内から鼻に拡散されます。このため、辛さがやわらぐのが早い傾向があるのです。

　また、ホット系の辛味は熱に強く、シャープ系の辛味は熱に弱いという性質があります。唐辛子は熱を加えると味が出やすく、ワサビは熱すると辛味がなくなります。タマネギやネギの辛味もシャープ系ですが、生だと辛く、熱を加えると甘くなるのはこんな理由だったのです。

　また、シャープ系のワサビやカラシ、大根、タマネギなどはおろしたり刻んだりすると組織が破壊され、酵素の働きで辛味が強くなります。

▶揮発性と不揮発性って？

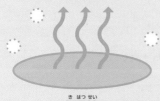

ワサビなどのシャープ系の辛さを持つ食べ物は、舌で辛さを感じたあとにふわっと消えてしまう。

揮発性

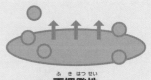

唐辛子などのホット系の辛さを持つ食べ物は、その場にとどまりやすいのでずっと舌がヒリヒリとした感覚が残る。

不揮発性

唐辛子に含まれる辛味成分・カプサイシンは、脂溶性が高く、水にはほぼ溶けない。そのため、ホット系の辛さは水じゃなく牛乳やヨーグルトでやわらぐんだ。シャープ系は水でOK！

ワサビの辛み成分は抗菌作用も！

　実はワサビやカラシに含まれるアリル・インチオシアネートには「抗菌作用」があります。腹痛や下痢、おう吐などをおこす食中毒の原因となる、「腸炎ビブリオ、腸管出血性大腸菌O157、サルモネラ菌」などの細菌の増殖を防止する働きがあると報告されているんです。寿司や寿司のパックに添えられたワサビには、安全に食べるための役割もあるということですね。

　抗菌作用のほかにも、アリル・インチオシアネートには細菌増加やカビによる悪臭を抑える消臭効果もあるので、消臭剤や抗菌シートにも活用されています。

▶ ワサビは根茎をすりおろす

ワサビと聞くと、チューブに入ってつかいやすくなっているものを思い浮かべるかもしれない。日本のワサビは本わさびの根茎をすりおろしたもの。でも、チューブに入っているワサビは西洋ワサビというホースラディッシュをすりおろしたものがおもな原料なんだ。

まとめ

□ 唐辛子は不揮発性（ホット系）の辛さ
□ ワサビは揮発性（シャープ系）の辛さ
□ ホット系の辛さは、食べてしばらく辛さが続く

野菜ってどこを食べてるの？

☞ 野菜の "ビタミン、ミネラル、食物繊維" で体を整える

キャベツは葉っぱの部分なんでしょ？
だったら大根って実なの？

野菜っていろんな
部分を食べてるんだよ。
大根は根っこなんだ。

かんがえてみよう！

ニンジン、タマネギ
ジャガイモは、
植物のどの部分？

大根は、名前の通り「大きな根っこ」だった！

私たちが普段食べている野菜は、どこの部分を食べているのでしょうか。

私たちが食べている野菜の部分は、「実、茎、花のつぼみ、葉、根・地下の茎」の大きく5つのグループにわけられます。

たとえば、キャベツは葉の部分を食べる野菜。この「葉物野菜」は食物繊維や多くのビタミン栄養素などを含んでいます。

土のなかで成長する根や茎を食べる野菜を「根菜類」といい、大根やゴボウ、ニンジンなどはこのグループに分類されます。糖質やビタミン、ミネラルなどの栄養素を豊富に含む根菜類の野菜は、体を温めてくれる効果も期待できるんです。

大根のまわりに細い毛が生えてるね。

そうそう、大根は根っこだといったけど、細い根を側根、食べる部分は主根というんだ。

じゃ、ニンジンもそうなの？

そうそう！ 食べるのは根っこなんだよ。

▶ 双子葉類（主根がある）、
　 単子葉類（ひげ根）

双子葉類	2枚	主根と側根	大根 ニンジン サツマイモなど
単子葉類	1枚	ひげ根	トウモロコシ アスパラガス セロリなど

ジャガイモとサツマイモは？

根っこなのかなぁ。

サツマイモは根で、
ジャガイモは地下の茎なんだ。

えぇ〜っ！

サツマイモはくぼみから
根が生えるけど、
ジャガイモは芽が出るよね。

▶野菜はどこを食べている？

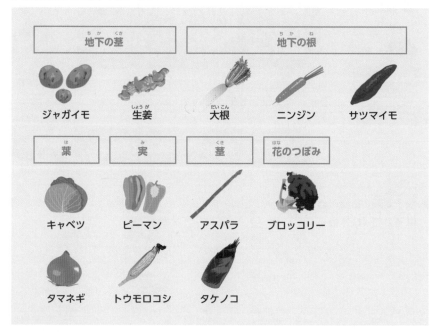

地下の茎		地下の根		
ジャガイモ	生姜	大根	ニンジン	サツマイモ

葉	実	茎	花のつぼみ
キャベツ	ピーマン	アスパラ	ブロッコリー
タマネギ	トウモロコシ	タケノコ	

野菜を食べるのは「ビタミン、ミネラル、食物繊維」があるから

　私たちの体づくりに重要な「タンパク質、脂質」は肉と魚で、「糖分」は主食の穀類で得られるのに、どうして緑黄色野菜を食べる必要があるのでしょうか。その理由は、野菜には体の代謝をうながす「ビタミン、ミネラル、食物繊維」が豊富だからなのです。

　ビタミンには13種類あって、ビタミンAは皮膚の健康を保ち、ビタミンDは骨を強化します。ビタミンCは抗酸化作用とコラーゲンづくりに活躍します。

　ミネラルには春菊や大根にも含まれるナトリウムなどがあります。ホウレンソウ、バナナ、芋類などに含まれている「カリウム」は、ナトリウム（塩分）が多すぎるときに、汗や尿にして体外に排出してくれます。

▶5大栄養素

5大栄養素

たんぱく質

脂質

糖質

ビタミン

ミネラル

　「タンパク質、脂質、糖分」という体をつくる栄養素に加えて、「ビタミン、ミネラル」で5大栄養素と呼んでいます。

　また、野菜には人の消化酵素では分解できない「食物繊維」が含まれています。これは大腸で善玉菌のエサになったり、便通を改善してお腹の調子を整える成分となるのです。

まとめ

- ☐ **野菜の食べる部分は葉、茎、花のつぼみ、根、地下の茎**
- ☐ **サツマイモは根、ジャガイモは地下の茎**
- ☐ **野菜は食物繊維、ビタミンなど栄養いっぱい**

野草と野菜は なにがちがうの?

☞ 毒のある野菜・山菜もある

キャベツは畑にある植物なんだよね。
道ばたの植物は食べられないの?

毒がある植物も
あるから気をつけて!

かんがえてみよう!

散歩中にみつけた草花は
食べられるのか、
家族に聞いてみよう!

食用として栽培する植物＝野菜、自生している＝野草

「野菜」とは人間が食べられる植物をさしますが、野菜と野草についてとくに明確に定義があるわけではありません。一般的には食べるために畑で栽培される植物を「野菜」、自然に生えている植物は「野草」、野草のうち食用とするものを「山菜」と呼んでいます。

食用であっても、毒をとり除くため、下ごしらえが必要な場合もあります。

たとえば、春の山菜であるワラビにはプタキロサイドという発がん作用を持つ毒物が含まれているため、アルカリ性（塩基性）の灰汁（灰の水溶液）に数時間つけ込み、無毒化する必要があります。

ほかにも、ジャガイモの芽や緑色の部分には神経に作用するソラニンという毒素があり、30分から半日で腹痛などの症状が出ることがあります。また、こんにゃく芋はシュウ酸カリウムという針状結晶を含みます。キウイやパイナップルなどを食べるとピリピリするのもこの成分のせいです。シュウ酸カリウムを大量に食べると呼吸困難になることもあるため、灰汁抜きをして、こんにゃくにしてから食べるわけです。

野　菜	野　草（山菜も含む）	山　菜（食用）
・畑で人工的に栽培される ・野生の植物をつくりかえたもの ・食用にできる部分が多い	・野山に自生する草 ・ヨモギやノビルなど土手やあぜ道に自生 ・薬草・毒草もある	・ワラビ、ゼンマイ、フキ、ウドなど ・若い芽や若葉を灰汁抜きして食べる

まとめ

□ **野草、山菜は自生する植物**
□ **野菜は食用で畑で育てる植物**

お父さんがアルコールで顔が赤くなるのは?

☞ アルコールの"分解酵素"が活躍

うちのパパ、ぼくたちと晩ご飯食べて
ビール飲むのが、サイコーって!

でも、お酒飲むと
なんで顔が赤く
なるんだろう?

お酒を分解してできた
成分のせいなんだ。

しらべてみよう!

家族が酒を飲んでいる
様子を観察してみよう!
顔は赤くなってきたかな?

無害化が追いつかないと顔が赤くなる！

　酒を飲んでいるお父さんの顔が赤くなることを「ブラッシング反応」といいます。これは、アルコールが分解される過程でつくられる「アセトアルデヒド」という物質が原因なのです。

　体内に入ったアルコールは、胃や小腸から吸収されたのちに肝臓へと運ばれます。肝臓でアルコールの約90％が代謝（＝食べたものから栄養素をとり入れて活動するためのエネルギーや生命の維持に必要な物質に変えること）され、アルコールはアセトアルデヒドへと分解されます。

　このアセトアルデヒドこそが酒を飲んだときに顔が赤くなる原因の物質であり、動悸や吐き気、眠気、頭痛などを引きおこすといわれています。体内ではこの次の過程でアセトアルデヒドを無害な物質（＝「酢酸」）へと分解する酵素が働きます。この分解酵素の働きが弱かったり、そもそもこの酵素を持たなかったりすると、アセトアルデヒドが体内に残りやすく、顔が赤くなるなどの症状が出るというわけです。

▶ 酒で顔が赤くなるしくみ

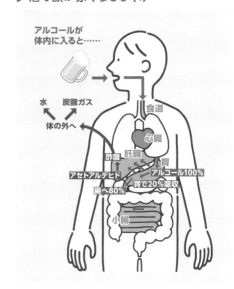

アルコールが体内に入ると……

水　炭酸ガス
体の外へ

食道
心臓
酢酸　肝臓
アセトアルデヒド
腸へ80％
胃
アルコール100％
胃で20％吸収
小腸

まとめ

☐ 顔が赤くなるのはアセトアルデヒドのせい
☐ 分解酵素の働きが弱いと顔が赤くなる

サバで体がブツブツに。これはアレルギー？

👉 免疫の暴走が "アレルギー"、食中毒は毒のせい

魚を食べたあと、お父さんの顔にブツブツが出たんだ。

サバアレルギーって聞いたことあるけど。

それはアレルギーではなくて、ヒスタミン食中毒というものだよ。

かんがえてみよう！

ほかに、体が赤くなったり、ブツブツになる食べ物ってある？

まず、アレルギーってなに？

　私たちの体には細菌やウイルス、寄生虫などの微生物や異物などから、身を守るための「免疫」というしくみがあります。異物を発見する「抗体」が、敵を発見すると、免疫細胞からヒスタミンという化学物質を出します。この物質の働きで鼻水や涙、くしゃみを出させて、異物を追い出すのです。免疫とはあくまでも体を守るものですが、食べ物や花粉など、体に悪くないものに対しても過剰に反応して、発疹や呼吸困難などを引きおこすことがあります。これをアレルギーと呼び、原因となる物質をアレルゲンと呼びます。

　アレルギーにはさまざまな種類があります。

　花粉症に代表される「季節性アレルギー」、ほこりやカビによる「通年性アレルギー」、薬をとったときにおこる「薬物アレルギー」など。そして、特定の食物の摂取が引き金となっておこる「食物アレルギー」があります。

　食物アレルギーは、ある特定の食べ物を食べたり、ふれたりしたあとにアレルギー反応が表れる症状のこと。原因となる食べ物として、鶏、牛乳、小麦、魚介、ピーナッツや果物、ソバ、エビ・カニなどが知られています。

▶免疫とアレルギー反応のしくみ

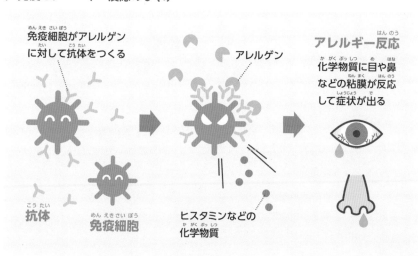

免疫細胞がアレルゲンに対して抗体をつくる

アレルゲン

アレルギー反応
化学物質に目や鼻などの粘膜が反応して症状が出る

抗体

免疫細胞

ヒスタミンなどの化学物質

食物アレルギーと食中毒はちがう

アレルギー反応はアレルゲンによる刺激を受けて、抗体が反応して体のなかの免疫細胞が「ヒスタミン」を出すことでおこります。一方で、サバを食べて食物アレルギーのような症状が出る原因に「ヒスタミン食中毒」の可能性もあります。

ヒスタミンが蓄積されたサバなどを食べたとき、食後30分～数時間後に顔面紅潮、発疹、吐き気などが表れることがあります。食物アレルギーと症状は似ていますが、実はだれにでもおこりうる反応なのです。

マグロやイワシやサバといった筋肉の多い魚は、ヒスチジンというアミノ酸を豊富に含んでいますが、このアミノ酸を好む微生物がヒスチジンをヒスタミンに変化させます。常温で保存するなど管理体制が悪いと、魚にヒスタミンが大量にたまり、食中毒を引きおこすのです。

▶ アレルギーと食中毒のちがい

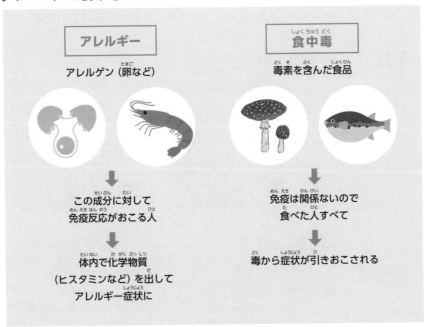

アレルギー	食中毒
アレルゲン（卵など）	毒素を含んだ食品
この成分に対して免疫反応がおこる人	免疫は関係ないので食べた人すべて
体内で化学物質（ヒスタミンなど）を出してアレルギー症状に	毒から症状が引きおこされる

嫌いな食べ物がある理由

アレルギー反応とは重度の場合には生死に影響することもあるため、「食べてはダメ」なものをしっかり知る必要があります。

これとはちがって「嫌いな食べ物」がある理由はなんでしょうか。

食べ物の好き嫌いがおこる原因は、生物学的には「遺伝的要因」と「環境的要因」があるといわれています。

遺伝的要因とは、本能的、または遺伝子レベルでの好き嫌いのこと。たとえば苦味や酸味は毒物や腐敗物であると脳が判断して、拒否反応がおこるというものでしたね。また、味蕾の受容体の遺伝子のちがいで「苦味成分を感じにくい」ということもあります。

環境的要因とは、どんな食事をするかで後天的に好き嫌いがおこるというものです。母乳やミルクしか飲まなかった赤ちゃんも、徐々に大人の食事に慣れさせていきますよね。小さいころからの食べ物の経験によって好き嫌いが決まるため、国や地域によって好みが異なることもあります。

また人間の舌にある「味蕾」は、子ども時代にもっとも数が多く、成長に伴って減少し30〜40代になると子ども時代の約3分の1にまで減ってしまいます。味蕾の退化で、子どものころには嫌いだった食べ物が好きになることがあるのです。

まとめ

□ **アレルギーは、異物を追い出す免疫の働きすぎ**

□ **青魚でブツブツができたらヒスタミン食中毒かも**

「おいしさ」のまとめ

「おいしい」というのは味覚だけでは決まらない。
ほかにみた目の美しさ、香りや歯ごたえ、
かみしめた音といった、五感すべてが影響するんだ。

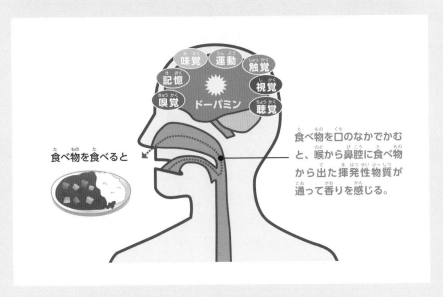

味覚　運動　触覚
記憶　ドーパミン　視覚
嗅覚　ドーパミン　聴覚

食べ物を食べると

食べ物を口のなかでかむと、喉から鼻腔に食べ物から出た揮発性物質が通って香りを感じる。

食べ物を「おいしい！」と感じるのは？

①昔食べた食べ物の味の記憶を思い出す。すると、ドーパミンが分泌、「またあの味が食べたい！」と脳が感じて、だ液が出ます。

②口へ運ぶときに、食べ物の色やかたち、香りなどを目や鼻で感じとります。

③食べ物を食べると、かんだときの音や食感が脳に伝わります。このときに、舌にある味蕾が基本五味である甘味・塩味・酸味・苦味・うま味を感じます。

④①〜③のすべてをまとめて「おいしい！」と感じるのです。

2章

変化する
食べ物たち

〜化学反応を知ろう〜

味噌も醤油も豆腐も
同じものから
できているの？

かたいお米が
ふっくらご飯に
なるのはどうして？

ぼくも
変身したいニャ！

ゼラチンは
どうしてかたまるの？

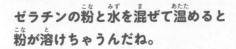 熱すると溶けて "ゾル化"、冷やすとかたまって "ゲル化"

 ゼラチンの粉と水を混ぜて温めると
粉が溶けちゃうんだね。

 冷えるとかたまるの。
不思議～！

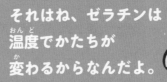 それはね、ゼラチンは
温度でかたちが
変わるからなんだよ。

ためしてみよう！

ゼリーをつくって冷蔵庫でかた
めてみよう。かたまったら温め
て溶かしてみよう！
用意するもの：粉ゼラチン、
　　　　　　　水、ジュース

そもそもゼラチンってなに？

「ゼラチン」といえば、デザートのゼリーを思い浮かべる人も多いと思いますが、プリン、マシュマロ、グミ、ヨーグルト、焼き肉のタレ、ハム・ソーセージといった多くの食べ物につかわれています。

ゼラチンは、温めると溶ける「ゾル化」と、冷めるとかたまる「ゲル化」を何度も繰り返し行える性質を持ちます。この性質を利用して、食用だけでなく、医療用、写真用、工業用などのさまざまな分野でつかわれて、いまや私たちの生活に欠かせない存在となっています。

ゼラチンの原料は、動物の骨や皮にたくさん含まれる「コラーゲン」。コラーゲンは、人間や動物の体のなかに含まれるタンパク質で、おもに皮膚や骨、血管を丈夫にする役割があります。このコラーゲンは水に溶けませんが、熱を加えると、溶けやすい水溶性のタンパク質に変わります。これがゼラチンなのです。

▶ かためる食材（増粘剤）いろいろ

動物由来	植物由来	海藻由来
牛・豚の骨や皮からつくられる	リンゴ・柑橘系の皮などからつくられる	テングサ・オゴノリからつくられる
ゼラチン	ペクチン	寒天
		昆布・ワカメからつくられる
		アルギン酸
タンパク質	炭水化物	
（コラーゲン）	（多糖類・食物繊維）	

動物性のゼラチンのほかにも、植物性のペクチン、海草性の寒天も食べ物をかためるのにつかうよ！

ゼラチンがかたまる理由

　冷やすとかたまる性質があるゼラチン。こうしてゼラチンがかたまる理由は、簡単にいえば“コラーゲンが水分を閉じ込めるから”です。

　コラーゲンの構造をみると、①らせん状の細長い3本の分子が絡み合って3つ編み状になったうえ、網目状のようなかたちで存在しています。このコラーゲン分子に熱を加えると、②網目状の構造はバラバラに変化します。この状態になったものがゼラチンです。

　ゼラチンを温めて溶かすと、コラーゲンの網目がほどけ、ひも状に広がります。これが冷えてくると、③分子はもう一度集まってもとの網目状に戻ろうとしますが、このとき近くにある水分を網目のなかに一緒に閉じ込めてしまいます。こうしてゼラチンは、冷えるとプルプルのゼリー状にかたまるのです。

▶ **ゼラチンがかたまる理由**

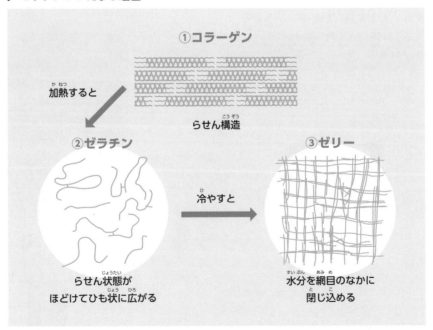

①コラーゲン

加熱すると

らせん構造

②ゼラチン

③ゼリー

冷やすと

らせん状態が
ほどけてひも状に広がる

水分を網目のなかに
閉じ込める

ゼラチンの弱点は高温！

　温めると溶けるゼラチンですが、溶かす温度には注意しましょう。ゼラチンはタンパク質でできているため、高温が弱点。約70℃以上の高温になると、コラーゲンが変形していまい、かたまりにくくなってしまいます。最適な温度は50〜60℃くらいなので、弱火か湯せんで溶かし、溶かしたらすぐに火から下ろすようにしましょう。

　また、ゼラチンのかたまる温度は20℃以下のため、かためるときには冷蔵庫に入れなくてはなりません。少なくとも3〜6時間は冷蔵庫で冷やし、しっかりとかたまってから食べるとよいでしょう。

　ただし、夏場などの暑い季節は常温でも溶けだしてしまう可能性があるので、食べる直前まで冷蔵することを忘れないでくださいね。

▶ 温度によって状態が変化

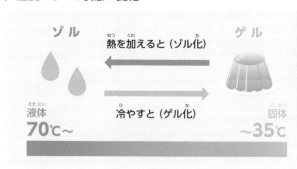

ゾル　熱を加えると（ゾル化）　ゲル

冷やすと（ゲル化）

液体 70℃〜　　固体 〜35℃

> 加熱してひも状に広がることを「ゾル化」、冷やしてらせん状に戻ることを「ゲル化」というよ。この性質のせいで暑い日にゼリーが溶けてしまうんだ。

まとめ

- ☐ ゼラチンは動物のコラーゲン、タンパク質
- ☐ コラーゲンは温まると溶けて、冷えるとかたまる
- ☐ 溶けた状態「ゾル化」、冷えた状態を「ゲル化」

キウイは
ゼリーにできない?

☞ "酵素" が化学反応を進める!

キウイのゼリーをつくろうとしたのに
全然かたまらないよぅ。

キウイを温めてから、
ゼラチン液と混ぜてみて。

えっ!
温めるの?

かたまらないのは
タンパク質分解酵素のせい。
この働きを温めて壊すんだ。

ためしてみよう!

生のキウイでゼリーをつくると
どうなる?
用意するもの:キウイ1個、
水200cc、砂糖50g、
ゼラチン粉5gと冷水大さじ1

実はキウイゼリーはかたまらない？

ある果物を入れるとゼリーがかたまらなくなってしまうことがあります。キウイやパイナップルなどの果物のほかにも、グリーンアスパラ、ミョウガ、生姜などもゼリーがかたまらなくなる食材です。これらに共通するのは、タンパク質を分解する「タンパク質分解酵素」を多く含んでいる食材であるということ。

ゼラチンはもともと動物性のタンパク質からできているため、タンパク質分解酵素が多く含まれている食材を生のままで入れてしまうと、分解されてしまい、凝固力がなくなってしまうというわけです。

キウイには「アクチニジン」が、パイナップルには果汁や葉からつくられる「ブロメリン」というタンパク質分解酵素が豊富に含まれてるため、これらを入れるとゼリーはかたまりません。

しかし、どうしてもキウイのゼリーが食べたいというときは、果物を加熱するとよいでしょう。タンパク質分解酵素は熱に弱く、60℃近くで分解されるからです。

▶ **タンパク質分解酵素が多く含まれている食材**

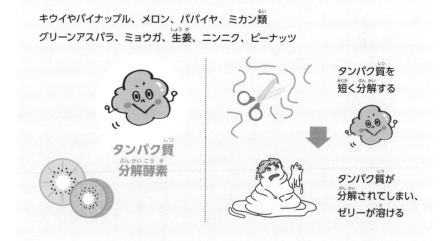

キウイやパイナップル、メロン、パパイヤ、ミカン類
グリーンアスパラ、ミョウガ、生姜、ニンニク、ピーナッツ

タンパク質
分解酵素

タンパク質を
短く分解する

タンパク質が
分解されてしまい、
ゼリーが溶ける

キウイをレンジでチンしたら、
ゼリーがかたまったよ！
酵素っておもしろいね。

タンパク質分解酵素は、肉をやわらかくする

　タンパク質分解酵素を含んだキウイやパイナップル、メロン、パパイヤなどには、「肉をやわらかくする」効果があります。

　肉はおもに、水と脂質、タンパク質からできていますが、なかでもタンパク質は肉の繊維やそれを束ねる膜の材料となっています。

　肉がかたくかみ切りにくいときは、先ほどあげた果物を絞った果汁に肉をつけておくと、タンパク質が分解され、食べたときにかみ切りやすいやわらかい肉になるのです。

　つけ込む時間は、1㎝の厚さの豚肉に対し、キウイは常温で15〜20分ほど、パイナップルは1時間ほどが目安です。長い時間放っておくと、酵素によって肉が溶けてボロボロになってしまうので気をつけましょう。

▶ キウイやパイナップルで肉がやわらかくなる！

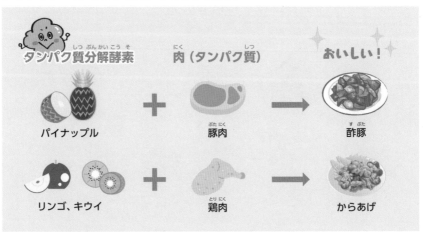

そういえば「酵素」ってなに？

　酵素はタンパク質でできた物質です。酵素は、ほかの物質にくっついてその物質を化学変化させますが、自分はそのまま変わりません。

　酵素は、すべての生き物に必須の「消化・吸収・代謝」を進めるという、重要な役目を果たしています。人の体で活躍する酵素はなんと5000種類！

　なお、酵素がくっつける相手は決まっていて、「キウイのタンパク質を消化するプロ」など細かく分担しているのです。

ぼくたち酵素は担当する物質が決まってるんだ

ぼくにピッタリなのはどれだ？　　みつけたよ！　　変化させたよ！

まとめ

☐ ゼラチンを分解する酵素がある
☐ 寒天ならキウイでもかためられる
☐ 温めて酵素を壊せばゼラチンでもキウイゼリーができる

大豆から豆腐に どうやってかたちが変わる?

👉 豆乳は"親水コロイド"という溶液

豆腐のもとって節分で投げる豆と一緒なの?
みた目が全然ちがうじゃん。

どうやって
かためるの?

化学反応を
利用しているんだよ。

しらべてみよう!

身近にある
大豆からできている
食べ物を探してみよう。

豆乳に凝固剤の「にがり」を加えると豆腐に！

　皆さん、豆腐の原材料は「大豆」って知っていましたか？　ここでは、大豆から豆腐になるまでの過程を細かくお話ししていきます。

　まずは、一晩中水につけた大豆を細かく砕きます。こうしてすり潰すことで大豆の細胞を破り、タンパク質などの成分を抽出しやすくします。すり潰した大豆を煮たら、布を敷いた容器でこしますが、このときに絞り出した液体を「豆乳」といい、布に残ったかすを「おから」といいます。おからには食物繊維や良質なタンパク質、カルシウム、ビタミンB2などの栄養素がたくさん含まれているため、捨てずにいろいろな料理につかうとよいでしょう。

　さて、先ほど絞り出した豆乳に、「にがり」という凝固剤を入れ、混ぜてかためれば豆腐のできあがり。意外にもシンプルな工程で豆腐がつくれてしまいます。材料とつくり方さえ覚えてしまえば、家でもつくれるかも!?

▶ 豆腐のつくり方

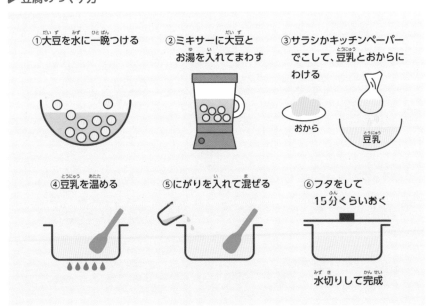

①大豆を水に一晩つける

②ミキサーに大豆とお湯を入れてまわす

③サラシかキッチンペーパーでこして、豆乳とおからにわける

おから

豆乳

④豆乳を温める

⑤にがりを入れて混ぜる

⑥フタをして15分くらいおく

水切りして完成

タンパク質が化学反応してかたまると豆腐になる

　豆乳には、大豆のなかに含まれているタンパク質がコロイド状に分散しています。コロイドとは、分子やイオンよりも大きな粒子のこと。豆乳の場合は「親水コロイド」といい、コロイド粒子のまわりが水分子でとり囲まれているため、コロイド同士がくっつくことはできず、均一に分散しています。

　普通であればタンパク質の粒子は、マイナスをおびているため、互いに反発し合ってしまい、なかなか沈殿しません。しかしここに、プラスのマグネシウムイオンやマイナスの塩化物イオンを含むにがりを加えると、水分子がイオンに奪われ、コロイド粒子同士がくっついて沈殿します。これは、にがりに含まれるマグネシウムイオンがタンパク質の粒子のマイナスをうち消してくれて電気的な反発がなくなり、沈殿するというしくみになっています。この現象を「塩析」といい、このようにしてかためられた、タンパク質のかたまりが「豆腐」となるのです。

▶ 親水コロイドと豆腐づくり

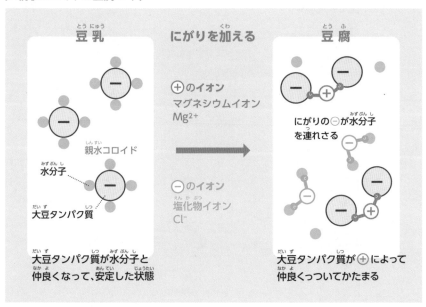

豆乳　　　　　にがりを加える　　　　　豆腐

⊕のイオン
マグネシウムイオン
Mg^{2+}

⊖のイオン
塩化物イオン
Cl^-

親水コロイド
水分子
大豆タンパク質

にがりの⊖が水分子を連れさる

大豆タンパク質が水分子と
仲良くなって、安定した状態

大豆タンパク質が⊕によって
仲良くっついてかたまる

「にがり」は海水からできる

　豆乳をかためる「にがり」という液体は、海水から塩（塩化ナトリウムと塩化カリウム）をとったあとに残る「塩化マグネシウム」を主成分としたものです。簡単にいうと、海水から食塩をつくる際、結晶化（液体から個体に変化すること）させたあとに残る液体、これがにがりです。

　つくり方はいたって簡単。きれいな海で汲んできた海水を煮詰めてこすだけで「塩」と「にがり」が分離されます。

　その名の通りとても苦く、なめたときに「苦々しい表情」をすることが由来とされています。

▶ **海水の成分について**

塩化ナトリウム／ NaCl
（食塩のおもな成分となる）

塩化カリウム／ KCl
（味は苦味を伴う塩味。食塩に入っていることが多い）

塩化マグネシウム／ $MgCl_2$
（にがりのおもな成分）

※ほかにはカルシウムも入っている。
　海はミネラルが豊富だ。

まとめ

□ 豆腐は「塩析」という化学反応でできる
□ 豆乳は、タンパク質の粒子が水分子に囲こまれた状態
□ 豆乳に加えたにがりが水分子を連れさる
□ 残されたタンパク質の粒子が沈んでかたまる

マヨネーズは どうしてトロトロ？

☞ 水と油を結びつけて "乳化"

マヨネーズって大好き。

卵と油とお酢で
つくるんだよね？
なんでこんなトロトロ？

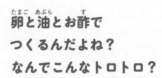

それはね、
「乳化」が関わって
いるんだよ。

ためしてみよう！

自分でマヨネーズを
つくってみよう。
用意するもの：塩、酢、
サラダ油、卵黄

マヨネーズが分離しないのはなぜか

　サラダにたこ焼き、卵、焼きそばなど、かけるだけで料理をおいしくして
くれるマヨネーズ。そんなマヨネーズはおもに、「卵黄」「植物油」「酢」の
3つを原料につくられていますが、実は油と酢は本来混ざり合わない物質。
なぜなら、油が「脂溶性」なのに対して「酢」は「水溶性」、つまり油と水
のため分離してしまうのです。ではなぜ、マヨネーズはきれいに混ざり合
い、トロトロとしたクリーム状になるのでしょうか。

　それは卵黄に含まれる「レシチン」という成分が水と油を結びつけてくれ
るからです。レシチンは、外側に水と仲のよい「親水性」、内側に油と仲の
よい「親油性」という性質を持っています。

　レシチンは油の表面に膜をつくり、酢と混ざりやすくする「乳化」という
働きをします。このように水と油を混ざりやすくする働きをするものを「乳
化剤」または「界面活性剤」といいます。

▶ 乳化剤の分子

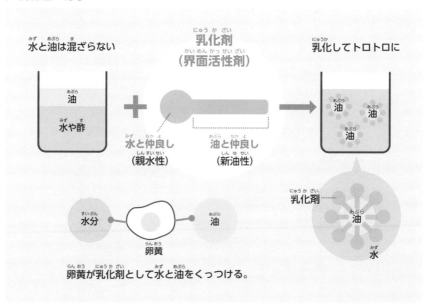

卵黄が乳化剤として水と油をくっつける。

乳化には2種類ある

　乳化には、水溶性の物質に脂溶性物質が混ざった「水中油滴型（O/ W型エマルション）」と、脂溶性の物質に水溶性物質が混ざった「油中水滴型（ W /O型エマルション）」の2種類があります。水中油滴型には牛乳や生クリーム、アイスクリーム、ドレッシング、マヨネーズなどがあります。これらは水のなかに油が溶けているような状態のため、水が多く、あまり油っぽさを感じません。

　反対に、油のなかに水が溶けているような状態の油中水滴型は、油が優位であるため、食べたときに油っぽく感じます。代表的な食べ物には、バターやマーガリン、チーズがあげられます。

　ちなみに、水中油滴型である牛乳を振り混ぜると、衝撃によって乳脂肪を包んでいる膜が破れ、そこから出てきた脂肪同士が集まってかたまり、油中水滴型のバターに変化します。これを「転相」といいます。

▶ 2種類の乳化「水中油滴型」「油中水滴型」

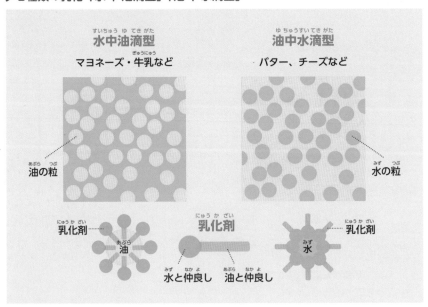

水中油滴型
マヨネーズ・牛乳など

油中水滴型
バター、チーズなど

油の粒

水の粒

乳化剤

乳化剤

油

水

乳化剤

水と仲良し　　油と仲良し

マヨネーズ（水中油滴型）の乳化を実験してみよう

①卵黄・塩・酢を混ぜる。

②卵黄のレシチンが
　乳化剤に。

③油を少しずつ入れて
　泡だて器で混ぜる。

乳化させる

乳化剤 ＋ 水分　※水と乳化剤が混ざった状態。
　　　　　　　　ここに油を混ぜ込んでいく。

＋ 油

分量の例		
卵黄	……	1個
酢	……	小さじ3
塩	……	小さじ1/2
サラダ油	…	100ml

一気に油を入れると
うまく乳化できない。

まとめ

☐ トロトロなのは「乳化」しているから
☐ 水と油が混ざり合っている状態がある
☐ 乳化剤が水と油を結びつける
☐ マヨネーズは卵が乳化剤になる

片栗粉を入れたらなぜとろみがつくの？

☞ 加熱すると変化するデンプン

料理の手伝いをしたとき
片栗粉に水を入れて溶かしたよ。

サラサラだったのに、
温めたらトロってなってびっくり。

熱を加えることで、
状態が
変化するからなんだ。

ためしてみよう！

料理にとろみを
つけてみよう。

デンプンは熱で糊化（α化）する

　とろみのついた料理づくりに欠かせない片栗粉の原材料は、ジャガイモからつくられるデンプン。一度水に溶いた「水溶き片栗粉」を料理に入れて加熱すると、料理にとろみがつきます。

　デンプンに水を加えて加熱すると、温度が60℃前後になったときに急激に水を吸収し、ふくらんでやわらかくなります。そこからどんどん粘度を増していき、最終的には糊のような状態に変化。この現象を糊化（α化）といいます。

　デンプンはとても密な結晶構造になっていて、生で食べるとお腹を壊すことも。一度水を加えて60℃以上に加熱すると、デンプン顆粒がふくれあがり、組織同士がゆるんでほぐれることで、消化しやすくなるのです。

▶ **とろみがつく理由**

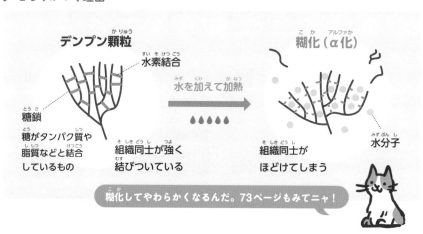

デンプン顆粒
水素結合
糖鎖
糖がタンパク質や脂質などと結合しているもの
組織同士が強く結びついている

水を加えて加熱

糊化（α化）
水分子
組織同士がほどけてしまう

糊化してやわらかくなるんだ。73ページもみてニャ！

まとめ

☐ **片栗粉のデンプンがとろみのもと**
☐ **デンプンの糊化（α化）でトロトロに**
☐ **糊化すると消化しやすくなる**

バターとチーズ、生クリームと牛乳のちがいは？

👉 加工方法によって姿を変える乳製品

「乳製品」って呼ばれているけど、もとは同じものなの？

不思議だけど、もとは同じ牛乳なんだ。

ためしてみよう！

バターを実際につくってみよう。

牛乳は栄養の宝庫

　バター、チーズ、生クリーム、牛乳、味もみた目も全然ちがうこれらの食べ物はすべて「乳製品」という種類にわけられます。乳製品とは、動物の乳、とくに牛乳を原料としてつくられた製品のこと。哺乳類の動物が子どもの成長のために与える体液である乳は、とても栄養価が高いんです。

　そのなかでも代表的な乳である「牛乳」には、カルシウムが多く含まれるだけでなく、「3大栄養素」であるタンパク質、炭水化物、脂質、さらにミネラルやビタミンなど、私たちの体になくてはならない栄養成分がバランスよく含まれています。とくにカルシウムやタンパク質などは骨や歯の健康にとって大きな役割を担うため、子どもの成長期には必要不可欠になります。

　牛から絞られた生乳は、牛乳をはじめ、バター、チーズ、ヨーグルト、スキムミルク、赤ちゃん用の育児用粉ミルク、練乳、アイスクリームなど多くの乳製品に加工されて私たちの食卓に届けられています。そのため、牛乳が苦手……という人でも積極的に加工乳製品を食べることで、効果的に栄養を摂取できるのです。

▶ **牛乳の成分表**

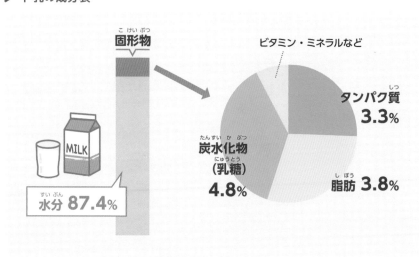

固形物

ビタミン・ミネラルなど

タンパク質 **3.3%**

炭水化物（乳糖）**4.8%**

脂肪 **3.8%**

水分 **87.4%**

クリームと牛乳、バターとチーズのちがいは

　クリームは、生乳の乳脂肪をとり出したもので、乳及び乳製品の成分規格等に関する省令（乳等省令）において、「クリームとは、生乳、牛乳又は特別牛乳から乳脂肪分以外の成分を除去したもの」と定義されており、脂肪分は18％以上と決められています。牛乳の脂肪分は、普通の牛乳で3.8％、低脂肪乳が1.0％（日本食品標準成分表より）ですから、生乳の乳脂肪分のみをとり出したものがクリームだといえます。一般的には「生クリーム」や「フレッシュクリーム」と呼ばれ、乳脂肪独特の濃厚でまろやかな風味を味わうことができます。

　バターとチーズは、みた目はよく似ていますが、味や食べ方・つかい方がまったくちがいますよね。チーズはそのまま食べることが多いですが、バターはそのまま食べることはありません。

　これらはそもそもつくり方が異なっています。チーズは、牛乳のなかの「タンパク質」と油脂分を、水分を抜いてかためたもの。対してバターはクリームから「油脂分」を分離させたもので、タンパク質はほとんど含まれていません。

　バターは、脂肪分35〜40％のクリームを原料に、乳脂肪分だけを攪拌（＝かき混ぜること）するとできあがり。

　チーズは、牛乳に乳酸菌やレンネットという酵素を加えてタンパク質をかため、ホエイ（乳清）の一部をとり除き、水分を抜いてかためます。それから微生物の働きによって発酵熟成させることで、チーズ特有の香りや味わいが生まれます。

▶生乳^{せいにゅう}から乳製品^{にゅうせいひん}へ

絞^{しぼ}りたて！

生乳^{せいにゅう}

殺菌^{さっきん} → 牛乳^{ぎゅうにゅう}

殺菌^{さっきん}
＋
遠心分離^{えんしんぶんり}

殺菌^{さっきん}

乳酸菌^{にゅうさんきん}
などで
発酵^{はっこう}

濃縮^{のうしゅく}

乳酸菌^{にゅうさんきん}
などで
発酵^{はっこう}＋熟成^{じゅくせい}

脱脂乳^{だっしにゅう}　クリーム

ヨーグルト
乳酸菌飲料^{にゅうさんきんいんりょう}

練乳^{れんにゅう}

チーズ

乾燥^{かんそう}　撹拌^{かくはん}

脱脂粉乳^{だっしふんにゅう}
（スキムミルク）

バター

まとめ

☐ 牛乳^{ぎゅうにゅう}には3大栄養素^{だいえいようそ}（タンパク質^{しつ}、炭水化物^{たんすいかぶつ}、脂質^{ししつ}）がたっぷり

☐ バターはクリームから油脂分^{ゆしぶん}を分離^{ぶんり}させたもの

米を炊くと
なぜご飯になるの？

👉 生デンプンの糊化（α化）、老化（再β化）

炊きたてのご飯、
おいしいなぁ！

生のお米はかたいのに、
ご飯になるともっちりするね。
なんで？

その秘密は水と熱、
そして2種類の
デンプンの糊化（α化）
にあるんだ。

ためしてみよう！

自分で飯ごうや
なべをつかって
ご飯を炊いてみよう。

ご飯は糊化デンプンに変化する

米の主成分は炭水化物である「デンプン」で、約77%の割合を占めています。米のデンプンは、小さなデンプン粒がたくさん集まってひとつの粒になっています。これを水に浸して加熱する、つまり炊飯すると水を吸収し、米の体積は約60倍にまでふくらみます。さらに加熱し続けると米の表面が溶けだして糊のように粘り気が出てきます。このように炊飯することで糊化（α化）された米のデンプンは、「生デンプン」から「糊化デンプン」に変化します。

しかし、炊きたての米を放置すると乾燥してかたくなりますよね。これは糊化したデンプンを放置すると、温度が下がることによって水分子が抜け出てしまい、生デンプンに近い構造に戻るためにおこります。この現象を「デンプンの老化（＝再β化）」といいます。

▶ ご飯の α 化、再β化

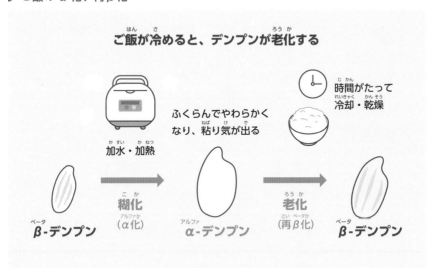

ご飯が冷めると、デンプンが老化する

時間がたって
冷却・乾燥

ふくらんでやわらかく
なり、粘り気が出る

加水・加熱

β-デンプン　→　糊化（α化）　→　α-デンプン　→　老化（再β化）　→　β-デンプン

73

うるち米ともち米

　米にたくさん含まれているデンプンには、ブドウ糖が直鎖状につながった「アミロース」と枝のようにわかれてつながる「アミロペクチン」の2種類があります。普段私たちが食べている米「うるち米」と、餅をつくる「もち米」では、2種類のデンプンの含まれる量がちがいます。アミロペクチンの割合が多いほど粘り気が高くなり、アミロースが多い米はかたくパサパサとした食感になります。

　もち米は100%がアミロペクチン。仕上がりは粘り気の強いモチモチとした食感になります。一方でうるち米は、デンプンのうち約2割がアミロース、約8割がアミロペクチンで構成されます。そのため、もち米に比べて粘り気は弱く、歯切れのよい食感が特徴です。

▶ 米の2種類のデンプンと割合

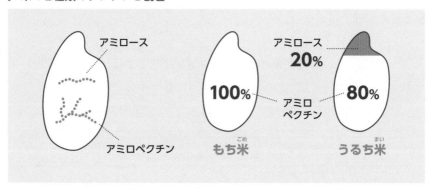

だんごの粉のヒミツ

　だんごをつくるときに、つかわれる粉には「白玉粉」「上新粉」「もち粉」といくつかの種類がありますが、これらの原料は「米粉」です。どの材料をつかっても、「水と熱」を加えることで、デンプンが糊化（α化）しモチモチのだんごができるのです。

　もち米をつかった「白玉粉」は白玉だんごや大福などにつかわれます。もち米のアミロペクチンはアミロースに比べて老化しにくいので、冷やしてもかたくなりにくいのが特徴。できあがりは表面がなめらかでツルリとした食感になり、冷やしぜんざいなど、夏の冷たいデザートにぴったりです。

　「上新粉」は、うるち米だけを原料としたもの。上新粉は粘りが出にくいため、お湯を加えて練り、一度蒸してからついて、そのあとにかたちを整えるというのが一般的な調理法。月見だんご、串だんご、柏餅、草餅、ういろうといった和菓子によくつかわれる粉です。「うるち米」と「もち米」をブレンドさせてつくる「だんご粉」もあります。

よくかんで食べると甘くなる

　糊化した米は、消化のよいデンプンに変化して、口でかむと分解できるようになります。そして、だ液に含まれる「アミラーゼ」という消化酵素の働きによって、デンプンは「麦芽糖（マルトース）」という甘い糖に分解されます。その結果、よくかんでるうちに口のなかのご飯を甘く感じるようになるのです。ご飯をよくかむことは、脳や胃腸の働きが活発になったり、歯の病気を防いだりというメリットもあります。

▶ **アミラーゼ遺伝子の数**

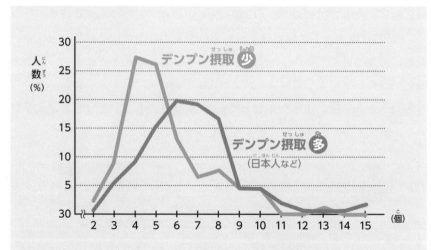

（アメリカ、ダートマス大学のナサニエル・ドミニー博士による）
日本人などデンプンを多くとる民族のアミラーゼ遺伝子は平均7個、そうでない民族は4個だった。アミラーゼ遺伝子の数が多いと、アミラーゼ酵素が多く、甘みを感じやすい。すると効率よくデンプンを体内にとり入れて、太りにくいという説がある。

▶ ご飯のデンプンを小さく分解して吸収するまで

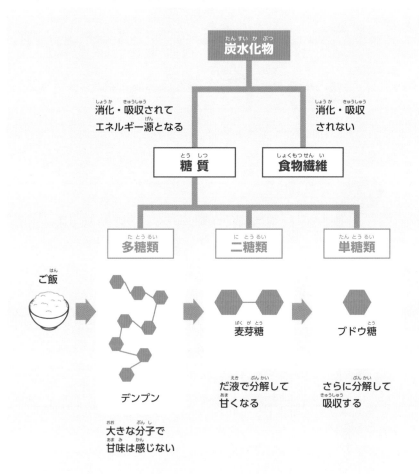

炭水化物

消化・吸収されて
エネルギー源となる

消化・吸収
されない

糖質

食物繊維

多糖類

二糖類

単糖類

ご飯

デンプン

麦芽糖

ブドウ糖

大きな分子で
甘味は感じない

だ液で分解して
甘くなる

さらに分解して
吸収する

まとめ

☐ デンプンのちがいでもち米とうるち米の
粘り気がちがう
☐ α化しておいしいご飯に
☐ 炊いたご飯を放置すると老化(再β化)する

サイダーはリトマス試験紙でなに色になる?

☞ 酸性とpH、イオン

炭酸飲料って
シュワシュワしておいしい!

炭酸飲料って
"酸"という字が
つくけど、
酸性なのかな?

炭酸が溶けているので
炭酸飲料は酸性、
つまりリトマス紙は
赤になるんだ。

ためしてみよう!

紫キャベツやブルーベリー、朝顔をつかってリトマス試験紙をつくってみよう。

酸性＝H⁺が多い、アルカリ性＝OH⁻が多い

　理科の実験でつかうリトマス試験紙（リトマス紙）は、青色のリトマス紙を「酸性」の水溶液につけると赤色に、赤色のリトマス紙を「アルカリ性」の水溶液につけると青色に変化しますね。酸性とアルカリ性（塩基性）という性質はなにがちがうのでしょうか。

　これを、水の化学式をつかって説明します。化学式を習っていない人も気軽に眺めてくださいね。

$$H_2O \longrightarrow H^+ + OH^-$$

　水の分子はH（水素原子）が2つと、O（酸素原子）がくっついたものです。水の一部はH⁺（水素イオン）とOH⁻（水酸化物イオン）にわかれています。このH⁺の濃度が高い溶液のことを酸性、OH⁻の濃度が高いものをアルカリ性と呼びます。

　それでは、炭酸飲料はどうなのでしょうか。炭酸飲料は香料や糖分の入った水に二酸化炭素を溶けこませた飲み物です。二酸化炭素が溶けた水が炭酸と呼ばれる酸であり、水と比べるとH⁺が多く溶けているため、「酸性」になるのです。

▶ pHとH⁺の濃度

▶pHの例

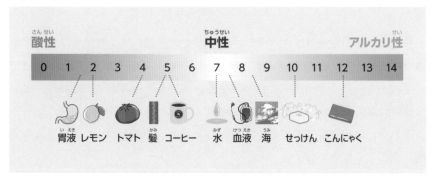

サイダーは酸性なので○色になる！

　水素イオン濃度でみてみると、サイダーのpH（酸性かアルカリ性かを示す指標）、つまり酸性の含有量はpH2.9ほど。これは、pHが7より低いと酸性、高いとアルカリ性であることを示します。炭酸の入っていない普通の水は「中性」でpH7程度です。味のしない炭酸水はpH5.5以下が一般的で「弱酸性」ですが、香りや味つけがされたフレーバー付きの炭酸水になると、酸性度がぐっと高まります。

　サイダーには、レモンやライム、グレープフルーツといった柑橘系の果物が添加されていますが、これらには「クエン酸」という酸性度が強い成分が含まれています。このクエン酸が加えられるため、サイダーは炭酸水よりもさらに酸性になるというわけです。つまり、リトマス紙をサイダーにつけると……「赤色」になります！

　私たちの身近には、アルカリ性と酸性のものがたくさんあります。なにか、その性質でちがいはあるのかな？　すっぱい味のものは酸性？　苦いものはアルカリ性？

ところでイオンってなに？

　原子には「プラスの電気をおびた陽子」と「マイナスの電気をおびた電子」があり、通常はプラスとマイナスの数がつり合っています。

　電子が出ていって陽子の方が多くなったものを「陽イオン」、電子がくっついてマイナスの電気が増えたものを「陰イオン」と呼びます。

▶ 原子とイオンの例

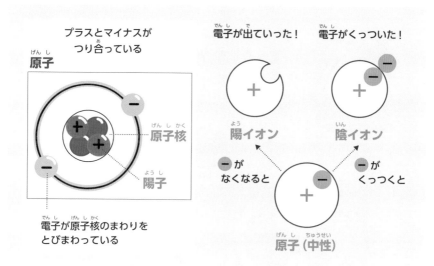

プラスとマイナスが
つり合っている

原子

原子核

陽子

電子が原子核のまわりを
とびまわっている

電子が出ていった！　　電子がくっついた！

陽イオン　　　　　陰イオン

− が
なくなると

− が
くっつくと

原子（中性）

まとめ

☐ リトマス色素で青、赤い試験紙が
　 つくられる

☐ pH7が中性、数値がこれより低いと酸性

☐ サイダーは炭酸が入っているので酸性

化学反応を知ろう

キュウリに塩を加えると なぜ水分が出る?

👉 細胞内と外の濃度を調整する"浸透圧"

キュウリの漬物、
しなしなだったよ。

それには浸透圧
という現象が
関わっているんだよ。

ためしてみよう!

キュウリを塩づけして
観察してみよう。

漬物がしなしなになっているのは水の移動が原因？

キュウリやナス、白菜、大根などに塩をまぶすと野菜の水分が抜けて、しんなりします。これは、野菜の内側と外側の濃度を、同じ濃さにしようとする「浸透圧」の力なんです。

私たち生物の細胞は「細胞膜」で外とへだてられています。この細胞膜は大きい粒子は通さず、水の分子は通せるしくみになっています。細胞膜の外となかで成分の濃度がちがう場合、水分をなかから外に出して、成分の濃さを同じにしようとするのです。

濃い塩分をうすめるには水を足しますよね？　細胞膜は自分の内側と外側の間で濃さを調整するわけなんです。

野菜に塩をふると、野菜表面の水分に塩が溶けて、とても濃い塩分の水溶液ができます。すると野菜の細胞のなかからどんどん水が外へでていきます。細胞膜からは水分を外に出しますが、大切な成分は逃がさないようにします。だから、味がぎゅっとつまっておいしくなるのです。

▶ キュウリ vs つけ汁

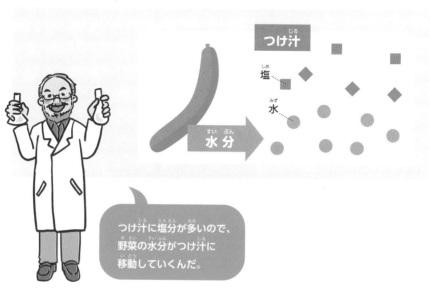

つけ汁

塩

水

水分

つけ汁に塩分が多いので、野菜の水分がつけ汁に移動していくんだ。

浸透圧を実験してみたよ！

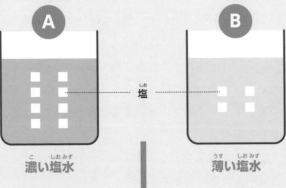

A 濃い塩水

B 薄い塩水

塩

1 まず普通に混ぜると……

A **B** 中間の濃さの塩水になる

2 の図で
「キュウリ」「つけ汁（塩水）」「細胞膜」
はどれにあたると思う？

「細胞膜」が「仕切り」で
「つけ汁（塩水）」は **A** 、
「キュウリ」は **B** ね。

84

2 水は通すけど、塩は通さない仕切り（半透膜）を入れて、
Ⓐ Ⓑ を注ぐと……

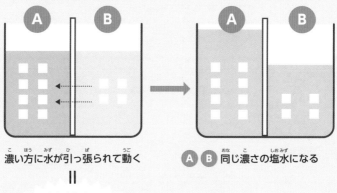

濃い方に水が引っ張られて動く
＝

浸透圧

Ⓐ Ⓑ 同じ濃さの塩水になる

海水が鼻に入ると、痛いのも
濃い塩水に水分が引っ張られるから。
体の塩分は0.9％くらいだけど、
海水は3％もあるからなんだ。

まとめ

□ 濃度が濃い方へ水分が動いて濃さを同じにする

□ 漬物は浸透圧で細胞内の水が外に出ていく

ガムはどうして伸びるの？

☞ "高分子" という巨大な分子

なんでガムって伸びるのかなぁ。

ゴム風船とちがって
ちぎれちゃうよね。
似た名前なのにね。

ガムは "高分子" で
できていて、それが
ひも状に伸ばせるんだ。
これをちぎれない
よう加工したのが
伸び縮みするゴムだよ。

ためしてみよう！

ガムとチョコを一緒に食べると
どうなる？　チョコの油分がガ
ムの高分子をバラバラにする
様子を観察しよう。

ガムの材料、天然高分子が伸びる

　ずっと昔からガムの材料となってきたのは"天然ゴム"です。これは、天然高分子の長いひも状分子が丸まって、団子状になったもの。高分子というのは、小さな分子がたくさんつながった巨大分子のことです。これを伸ばすと何個もの団子がほどけて何本ものひも状になり、引っ張ると何本もの糸がまとまって集団になってズルズルと伸びていくのです。

　こうして、さらに引っ張ると短いひも状分子から順に集団から外れ、ひもの集団はだんだん細くなって、やがてプツンとちぎれてしまいます。これがガムが伸びる限界ということです。これは、そうめんの麺が何本もずるずると口中に吸い込まれる様子と同じです。

　この天然ゴムに硫黄を加えて、ひも状分子の間を橋でつなげて、ちぎれないようにしたのがゴム風船や事務用品のゴムです。

　なお、「タンパク質」や炭水化物の「セルロース」の構造も、天然の高分子です。

▶ ガムが伸びるしくみ

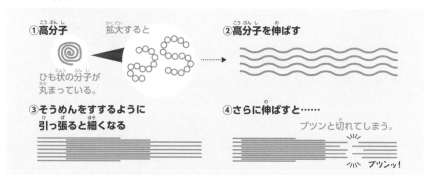

①高分子　　　拡大すると
ひも状の分子が丸まっている。

②高分子を伸ばす

③そうめんをすするように引っ張ると細くなる

④さらに伸ばすと……
プツンと切れてしまう。
プツンッ！

まとめ

□ 高分子とは小さな分子がたくさんつながった巨大分子

麩と高野豆腐は
なにがちがうの？

☞ 麩は小麦粉の"グルテン"、高野豆腐は大豆タンパク質

お麩ってフワフワしてるね。

高野豆腐と似てるね。

でもまったく
ちがうものなんだよ。

ためしてみよう！

豆腐を冷凍庫で
凍らせて
解凍してみよう。

高野豆腐と麩は原料がちがう

フワフワとした食感で、よく似ている「高野豆腐」と「麩」ですが、そもそも原材料がまったくちがいます。

高野豆腐はその名の通り豆腐からできたものであるため、原料は「大豆」です。一方で麩の原料は「小麦粉」です。具体的には小麦粉からとり出した「グルテン」という植物性タンパク質からつくられます。

どちらもタンパク質がたくさん含まれています。ほかにもカルシウムやミネラルも含まれるため、栄養価が高い食材だといえます。

▶ 高野豆腐と麩の栄養

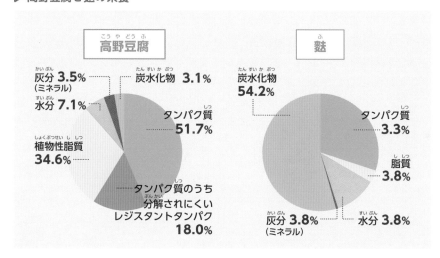

高野豆腐

灰分 3.5%（ミネラル）
水分 7.1%
炭水化物 3.1%
タンパク質 51.7%
植物性脂質 34.6%
タンパク質のうち分解されにくいレジスタントタンパク 18.0%

麩

炭水化物 54.2%
タンパク質 3.3%
脂質 3.8%
灰分 3.8%（ミネラル）
水分 3.8%

1994年7月、スペースシャトル「コロンビア」に日本人女性の向井千秋さんが宇宙飛行士として乗り込んだとき、高野豆腐をつかった宇宙食がメニューになったんだって！

高野豆腐のつくり方

　別名「凍り豆腐」ともいう高野豆腐は、豆腐を凍らせたあとに低温熟成さ
せ、乾燥させてつくります。つまり、冷凍と蒸発を繰り返して完全に水分が
抜けたものが高野豆腐になります。木綿豆腐をつかうとスポンジ状に、絹ご
し豆腐をつかうと湯葉を重ねたような食感になります。

　では、豆腐から高野豆腐になるメカニズムを詳しく説明していきます。

　豆腐は、タンパク質と油脂分が集まってできた粒子が水を含んでひも状に
つながった構造になっています。この豆腐を凍らせると、豆腐のなかにある
水分が凍ることで氷の結晶ができ、豆腐のなかのひも状の粒子が密集した構
造へと変化します。次の工程で冷暗な場所（マイナス2〜3℃）で低温熟成
することで、氷が溶けてひも状の粒子はさらにかたまり縮まります。このと
きタンパク質の分子同士が結ばれて大きい網目の穴がたくさんできて、これ
を乾燥させることで網目はそのまま固定されて、最終的にスポンジのような
高野豆腐ができるのです。

▶ 高野豆腐づくりと構造の変化

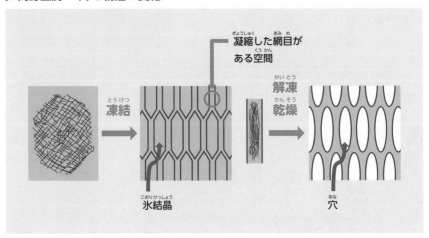

凝縮した網目が
ある空間

凍結

解凍
乾燥

氷結晶

穴

麩のつくり方

　グルテンという小麦粉由来の植物性タンパク質からつくられる麩。これをつくるにはまずグルテンをとり出さなければいけません。

　小麦粉に水を加えてかき混ぜていくと、だんだん粘りが強くなっていきます。この生地を水で洗うとデンプン質が流れ出し、ゴムのような物体が残ります。これがグルテンです。

　このグルテンに小麦粉を合わせて焼きあげると「焼き麩」ができ、グルテンにもち粉を混ぜ合わせて、蒸したり茹でたりすると「生麩」ができます。

　焼き麩は水分が染み込みやすいという特徴があるため、煮物や汁物によくつかわれます。一方で生麩は、モチモチとした食感が特徴的で、そのまま焼いたり揚げたりして食べることが多いものです。

▶麩をつくる

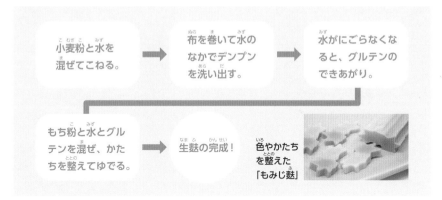

小麦粉と水を混ぜてこねる。　→　布を巻いて水のなかでデンプンを洗い出す。　→　水がにごらなくなると、グルテンのできあがり。

もち粉と水とグルテンを混ぜ、かたちを整えてゆでる。　→　生麩の完成！

色やかたちを整えた「もみじ麩」

まとめ

☐ 似ている食材だけど、原料はちがう
☐ 高野豆腐は冷凍と蒸発を繰り返してつくる
☐ 麩は小麦粉からグルテンをとり出してつくる

「栄養と化学」の話

　タンパク質、脂質、炭水化物は体をつくり、動かすエネルギー源になります。ビタミンは体の機能を正常に保つため。ミネラルとは身体の調子を整えるために必要で、食塩のナトリウムもミネラルです。

5大栄養素　タンパク質・炭水化物・脂質・ミネラル・ビタミン

体をつくる	エネルギーになる		体の調子を整える	
タンパク質	炭水化物	脂質	ミネラル	ビタミン
肉　卵 チーズ　魚 納豆	米　ジャガイモ パン　トウモロコシ サツマイモ	マヨネーズ　油　オリーブオイル ベーコン バター ピーナッツ	アサリ　煮干し レバー 牛乳　ワカメ	ブロッコリー ニンジン キャベツ リンゴ　イチゴ カボチャ

アミノ酸の基本的なかたち

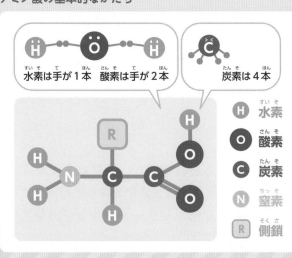

水素は手が1本　酸素は手が2本

炭素は4本

H	水素
O	酸素
C	炭素
N	窒素
R	側鎖

「酸素・炭素・水素・窒素」でアミノ酸が構成されているね。実は人の体もほとんどがこの4つでつくられているんだよ。

加熱・冷却でおいしくなる

～温度差の化学を知ろう～

焼くとおいしそうな
ニオイがするのは
どうして？

なんで
ゆで卵のかたさが
ちがっちゃうの？

いいニオイが
するニャ

かたゆで卵・半熟卵はどこでわかれるの?

☞ タンパク質の変性（熱変性）

ゆで卵の黄身は、かたいのより半熟が好きだなぁ。

私も！ でも、どうして半熟卵は黄身だけトロトロで、白身はかたいの?

白身と黄身でかたまる温度がちがうからなんだよ。

ためしてみよう!

かたゆで卵と半熟卵、目玉焼きのかため、半熟をつくってみよう!

94

卵はなぜゆでるとかたまるのか？

すべての動物の体のなかにあるタンパク質は、熱を加えるとかたくなるという性質を持っています。たとえば、肉や魚といった動物性の食べ物に熱を加えると、かたくなりますよね。私たちがいつも食べている「卵」は、鶏から生まれたものがほとんどです。卵の中身は、ほぼタンパク質ですから、同じように熱を加えるとかたくなるというわけです。

タンパク質の変性について

では、タンパク質に熱を加えるとかたまるメカニズムをもう少し詳しく説明します。

アミノ酸がいくつもつながっているタンパク質は、ひもが絡まったような立体的な構造をしています。ここに熱を加えると、最初の構造が崩れて、ほどけた状態になります。ほどけた状態のタンパク質同士がくっつき合ってまたかたまります（＝タンパク質の変性）。

なお、一度変性をおこしたタンパク質は、ほとんどの場合、変性前の状態に戻ることはありません。

▶ 卵に熱を加えたときのタンパク質の変化

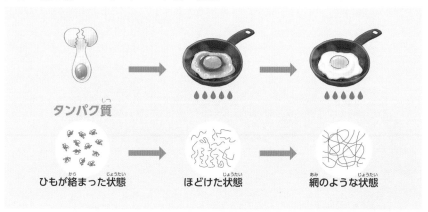

タンパク質

ひもが絡まった状態　　　ほどけた状態　　　網のような状態

自由自在にゆで卵がつくれる

　タンパク質がかたまる温度は、タンパク質の種類によって異なります。卵の白身の主成分は「卵白アルブミン」というタンパク質ですが、この卵白アルブミンをかためるためには、通常、80℃以上の熱を加える必要があります。一方で卵の黄身の場合は、65〜70℃ほどで完全にかたまるといわれています。つまり、卵白よりも卵黄の方が凝固する温度が低いというわけです。この温度差を利用することで自由自在にゆで卵がつくれるのです。

▶ **卵がかたまる温度**

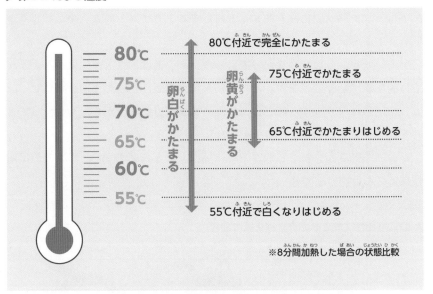

卵白と卵黄のかたまる温度の差や時間を知ることで、かたゆで卵や半熟卵、温泉卵がつくれます。

ゆで卵をつくる目安

　まず白身も黄身もしっかりとかたまった「かたゆで卵」の場合は、80℃以上のお湯で10分以上ゆで続けるとできあがります。

　「半熟卵」をつくるには熱の伝わる時間差を利用します。卵をお湯に入れると、まずは外側にある白身に、次に内側の黄身へ熱が伝わっていきます。その性質を利用し、ゆでる時間を5〜6分ほどにすると半熟卵のできあがり。ただし、余熱で火が通りすぎるのを防ぐため、ゆで終えたらすぐにお湯を捨てて冷水で冷ますことが大切です。

　そして「温泉卵」とは、黄身はトロトロとかたまり、白身がかたまっていない状態の卵。これをつくるには、卵白と卵黄のタンパク質がかたまる温度差を利用します。卵黄が凝固する温度である65〜70℃のお湯で20〜30分ほどゆでると、温泉卵をつくることができます。卵白がかたまる温度は約80℃なので、65〜70℃を長時間保持することで卵黄だけが凝固するのです。

▶ **ゆでる時間によってちがう卵の姿**

80℃以上・10分

80℃以上・5〜6分

65〜70℃・20〜30分

かたゆで卵

半熟卵

温泉卵

まとめ

☐ **タンパク質に熱を加えるとかたまる**
☐ **卵白と卵黄のタンパク質がちがう**
☐ **65〜70℃で卵黄だけがかたまる**

ホットケーキは なぜふくらむ？

☞ 炭酸水素ナトリウムから炭素ガスが発生

ホットケーキの粉に卵と牛乳を入れて……。

焼きはじめると大きくなるけど、どうしてだろう～。

ふくらし粉から二酸化炭素ができたり、卵を加えるとその空気をふんわりさせたまま、かためてくれるからだよ。

ためしてみよう！

ホットケーキを焼いてみよう。卵を入れない生地と入れた生地で比べてみよう。

まずはホットケーキの材料を知ろう！

　ホットケーキというのは、小麦粉に卵やベーキングパウダー、砂糖、牛乳、水といった材料を混ぜて焼いたものです。家ではすでに材料がブレンドされている、市販のホットケーキミックス粉をつかうことも多いと思います。これは、小麦粉（おもに薄力粉）をベースに糖類（砂糖、ブドウ糖、粉末水あめ、麦芽糖など）、ふくらし粉（膨張剤）などが配合されているものです。

　ふくらし粉とは名前の通り、おもに小麦粉をつかった料理をふくらませる材料で、重曹、ベーキングパウダーなどがつかわれます。パンづくりでは、ドライイーストがよくつかわれますが、これはイースト菌という酵母で発酵させてふくらませるものです。

▶ **ホットケーキはなぜふくらむのか**

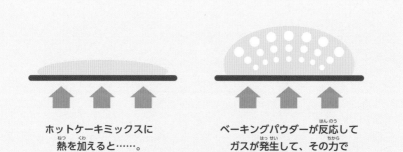

ホットケーキミックスに
熱を加えると……。

ベーキングパウダーが反応して
ガスが発生して、その力で
ホットケーキがふくらむんだ。

熱を加えると、ガスが発生してふくらむホットケーキ。その理由には、ベーキングパウダーが大きく関わっているよ。次のページから詳しく学んでいこう。

「炭酸水素ナトリウム」の働き

ホットケーキミックス粉につかわれているベーキングパウダーのおもな原料は、アルカリ性の重曹（炭酸水素ナトリウム）です。この炭酸水素ナトリウムを加熱すると化学反応で、①炭酸ナトリウム、②二酸化炭素、③水の3つの物質に分解されます。この二酸化炭素が発生することで、ホットケーキのなかで小さな気泡となって生地をふくらませ、ふんわりとしたホットケーキが焼きあがるというわけです。

ミックス粉は卵をつかわなくてもおいしいですが、卵を入れるとよりふっくら感が増します。それは、卵のタンパク質が熱でかたまる性質があるためです。重曹から発生した気泡がつぶれる前にかたまるため、より舌触りよくやわらかい食感に仕上がるのです。

▶ 炭酸水素ナトリウムを加熱すると……

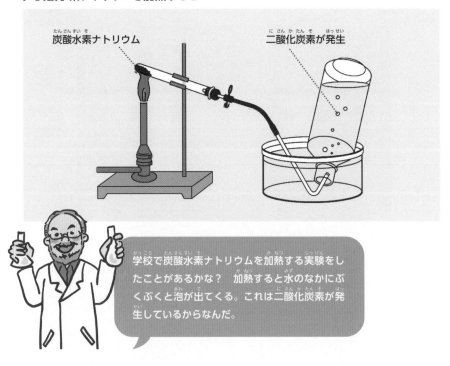

炭酸水素ナトリウム

二酸化炭素が発生

学校で炭酸水素ナトリウムを加熱する実験をしたことがあるかな？　加熱すると水のなかにぶくぶくと泡が出てくる。これは二酸化炭素が発生しているからなんだ。

2つの炭酸水素ナトリウムが熱で次のようにわかれるんだよ。

炭酸水素ナトリウム

炭酸ナトリウム　二酸化炭素　水

ベーキングパウダーの秘密

　実は、ふくらませるだけなら重曹だけつかっても十分です。ところが、ベーキングパウダーには重曹のほかに「酸性剤」と「遮断剤」が含まれています。これはどうしてでしょうか。

　酸性剤とは重曹に作用して、分解のスピードやガスが発生する温度を調整する働きをしています。いわば、炭酸ガス発生を促進させるサポート役といえるものです。代表的な酸性剤には、酒石酸・クエン酸・ミョウバンなどがあります。

　遮断剤とは、ミックス粉を保存しているときに、ガス発生剤と酸性剤が反応してしまうのを防ぐために加えられ、コーンスターチ（とうもろこしのデンプン）などがつかわれます。

まとめ

□ 重曹から二酸化炭素が発生
□ 卵で気泡を閉じ込める
□ 重曹＋卵でふっくら

肉を加熱したら どうなるの？

👉 筋肉タンパク質・コラーゲンの熱変性

ステーキって焼き加減が
難しいって聞いたよ。

焼きすぎると
かたくなるし、脂も
溶けすぎちゃうんだ。

ためしてみよう！

肉を焼いた時間によって
変わる、かたさや食感を
比べてみよう。

肉を加熱する2つの理由

　肉を食べるときには、焼いたり、煮たり、揚げたりと、かならず「加熱」してから食べますよね。刺身やタタキのように食肉を生で食べる料理もありますが、基本的には熱を加えてから食べるはずです。このように食肉を加熱するのには、とても重要な2つの理由があります。

　まず1つ目は、細菌や寄生虫をやっつけるためです。

　私たちが普段食べる「食肉」といわれるものは、牛肉、豚肉、鶏肉が代表的ですが、これらの動物の腸管のなかには、サルモネラ、カンピロバクター、腸管出血性大腸菌（O157）といった食中毒菌がかならず潜んでいるんです。これらの菌の多くは、75℃以上1分間の加熱でほとんど死滅するといわれています。もしも食肉や内臓を生や加熱が不十分な状態で食べてしまうと、食中毒の危険性が高くなるため、「生食用」ではない食肉を食べるときには十分に注意しましょう。

▶ **生の肉は加熱で食中毒を防ごう**

サルモネラ

鶏や豚、牛の腸のなかに住んでる細菌。卵がけご飯を食べるときは新鮮な卵をつかおう！

カンピロバクター

鶏や豚、牛の腸のなかに住んでいるよ。とくに鶏肉が食中毒の原因になることが多い。

腸管出血性大腸菌 O157

動物の腸のなかに住んでいるんだ。加熱が不足している肉料理などが原因になるよ。

食中毒の原因はもともと牛や豚、鶏などのなかにいた菌が原因なので、肉の新鮮さは関係ないんだ。食べるときはしっかり焼きましょう。

肉のかたさに影響を及ぼすタンパク質

　2つ目の理由は、肉を食べやすく、おいしくするためです。実は食肉を加熱すると、①かたさの変化、②肉汁が出てくる、③うまみが増加する、と3つの変化があるんです。

　外からみると生肉はやわらかいですが、歯切れがとても悪く、かみ切りにくいという特徴があります。これに熱を加えると、肉に含まれるタンパク質が熱変性をおこしてかたくなり、私たちが食べやすいかたちへと変化するのです。これは、ゆで卵が熱でかたまるのと同じメカニズムですが、ここでは肉に含まれるタンパク質について詳しくお話ししていきます。

　「骨格筋」と呼ばれる食肉は、約20％が「筋肉タンパク質」、約70％は水分で、残りは脂質、炭水化物、ビタミン類からなります。この筋肉タンパク質のうち、肉のかたさに影響するのが「筋原線維タンパク質」と「肉基質タンパク質」というタンパク質。この肉基質タンパク質は「コラーゲン」といわれるもので、アミノ酸の3本の鎖が、らせん状に絡み合ったような構造をしています。

▶ 肉の焼き加減で食感が変わる

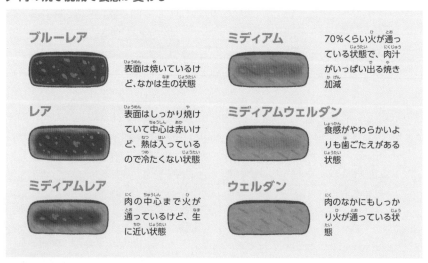

ブルーレア	表面は焼いているけど、なかは生の状態
ミディアム	70％くらい火が通っている状態で、肉汁がいっぱい出る焼き加減
レア	表面はしっかり焼けていて中心は赤いけど、熱は入っているので冷たくない状態
ミディアムウェルダン	食感がやわらかいよりも歯ごたえがある状態
ミディアムレア	肉の中心まで火が通っているけど、生に近い状態
ウェルダン	肉のなかにもしっかり火が通っている状態

肉をやわらかくするコラーゲン

　肉がかたくなるのは、加熱することによって、筋原線維タンパク質とコラーゲンが変質し、収縮することからおこります。加熱するにつれてタンパク質がかたくなり、65〜80℃ほどで肉は一番かたくなります。

　このコラーゲンは、さらに加熱するとやわらかくなっていき、これと一緒に肉に含まれる脂質が外に溶け出していきます。これが肉汁です。この肉汁が溢れ出ることで加熱した肉はやわらかくなめらかになります。

　そして長時間水と共に加熱し、70℃以上になるとコラーゲンは徐々にゼラチン化していきます。この現象は「軟化」ともいい、3本の鎖がらせん状に絡み合った構造のコラーゲンが、熱によってほぐれるためにおこります。

　かたい肉をコトコトとじっくり煮込むとやわらかな味わいが出てくるのは、この変化を利用しているからなのです。

▶ コラーゲンの状態変化

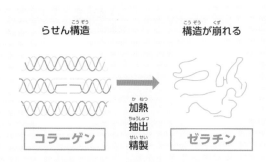

らせん構造　　　　構造が崩れる

加熱
抽出
精製

コラーゲン　　　　ゼラチン

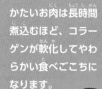

かたいお肉は長時間煮込むほど、コラーゲンが軟化してやわらかい食べごこちになります。

まとめ

☐ **肉を加熱するのは食中毒菌を倒すため**
☐ **加熱するとタンパク質はかたくなる**
☐ **煮込むとコラーゲンが軟化してやわらかくなる**

焼くとこうばしくなる
のはなぜ？

☞ "カラメル化" "メイラード反応" は "糖類" が関わる

お魚を焼いてるのかな？
お腹空いてきちゃった。

 どうして生のお魚は、
おいしそうな香りしないのに、
焼くと香りがしてくるのかな？

食べ物を加熱した
ときにおこる、
化学反応が
関係しているんだ。

ためしてみよう！

砂糖水を煮つめて
べっこう飴をつくってみよう。
砂糖水は砂糖（白砂糖）100g、
水 大さじ2（30g）

こんがりした色になるのも化学反応

　焼きたてのクッキーやパン、肉や魚など、生の状態のときはそんなに香りがしないのに、熱を加えて焼いているとこうばしいよい香りがしたり、こんがりとしたおいしそうな焼き色がついたりしますよね。

　これは「カラメル化反応」と「メイラード反応」という化学反応によっておこります。いずれも、調理の過程などで食品が茶色くなる、という点では共通していますが、発生条件などにそれぞれちがいがみられます。

カラメル化反応　糖　　　　　→加熱が必要。果糖は105℃以上で反応
メイラード反応　糖＋アミノ酸　→常温でも茶色くなる

▶糖の仲間

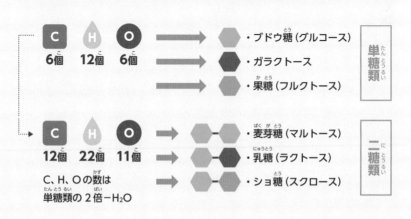

茶色になるのは、糖類なの。　受容体　甘味

糖は「炭素 C、水素 H、酸素 O」が六角形か五角形につながっている

C 6個　H 12個　O 6個　→・ブドウ糖（グルコース）・ガラクトース・果糖（フルクトース）　単糖類

C 12個　H 22個　O 11個　→・麦芽糖（マルトース）・乳糖（ラクトース）・ショ糖（スクロース）　二糖類

C、H、Oの数は単糖類の2倍−H₂O

107

お菓子づくりに関わるのは「カラメル化反応」

　ここではまず、「カラメル化反応」について説明します。

　カラメル化反応とは、砂糖を加熱した際、糖分が酸化するときにおこる現象のこと。砂糖自体の温度が165℃の高温になると、糖の構造が変化したり、別の分子と結合をはじめたりすることで、カラメルソース特有のこうばしい香りや独特の苦みが生まれます。

　パンやクッキーなどを焼いたときにこんがりとした焼き色やよい香りがしてくるのは、このカラメル化反応によって、食品の材料として含まれる砂糖が一部カラメル化しているからなのです。ほかにもプリンのカラメルソースやキャラメル、べっこう飴などもこの反応によってつくられています。

カラメル化させて
色や香りの変化を観察してみよう。

▶糖の仲間

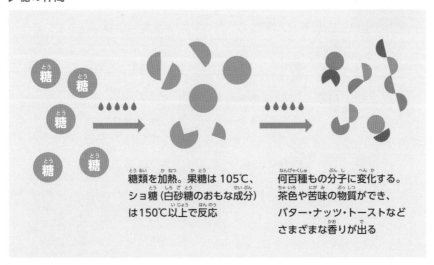

糖 糖
糖
糖 糖

糖類を加熱。果糖は105℃、ショ糖（白砂糖のおもな成分）は150℃以上で反応

何百種もの分子に変化する。茶色や苦味の物質ができ、バター・ナッツ・トーストなどさまざまな香りが出る

メイラード反応について

　「メイラード反応」とは、材料の小麦粉や卵、砂糖、バターや牛乳などに含まれるタンパク質やアミノ酸などの「アミノ化合物」と、糖分に含まれる「還元糖」が反応して「メラノイジン」という褐色物質を生み出す反応のことです。このメラノイジンによって食品に茶褐色が色づき、こうばしい風味が生み出されているのです。

　メイラード反応は基本的に加熱したときにおき、155℃がもっとも活発になりますが、加熱温度や糖とアミノ酸の組み合わせによってさまざまな香りができることが特徴です。また常温時でも発生することがあり、その代表的な例としてあげられるのが醤油や味噌です。これらは常温で長い時間熟成・発酵される過程で原料の大豆や米に含まれる糖とアミノ酸がメイラード反応をおこし、濃い茶褐色に色づき、独特の香りを放っているというわけです。

▶メイラード反応のしくみ

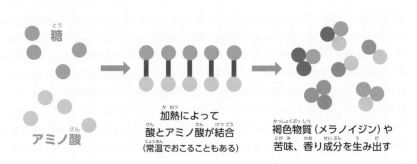

糖

アミノ酸

加熱によって
糖とアミノ酸が結合
（常温でおこることもある）

褐色物質（メラノイジン）や
苦味、香り成分を生み出す

まとめ

□ 香ばしさは2つの化学反応が関係
□ 砂糖を加熱すると独特の苦みが出る
□ メイラード反応は熟成・発酵でもおこる

ポップコーンは なぜはじける？

☞ トウモロコシの"水蒸気爆発"

 ポップコーンって全然、 みた目がちがうのに トウモロコシだって聞いたよ。

爆裂種っていう種類の トウモロコシが、 水蒸気爆発した姿なんだよ！

ためしてみよう！

家でポップコーンを つくって 観察してみよう。

ポップコーンは火山の爆発のようなもの

　ポップコーンはトウモロコシの実を乾燥させたものを炒ってつくります。ただし「爆裂種」という粒の皮がかたい品種しかポップコーンはつくれないのです。私たちが普段食べているのは「スイートコーン」という甘みの強い品種で、皮がやわらかいためポップコーンには不向きです。

　かたいデンプンの皮に覆われた爆裂種の内側には、水分を含んだやわらかいデンプン層があります。粒を加熱すると、内側のやわらかいデンプン層に含まれる水分が気化して水蒸気となります。すると、内側で水蒸気の圧力がどんどん高まっていき、温度が180℃を超えると、圧力に耐えきれなくなった外側の皮が破裂し、一気に水蒸気が放出されます。

　火山の「水蒸気爆発」は岩盤のなかに水蒸気がたまり、耐えきれずに爆発するものですが、ポップコーンも同じです。ポップコーンの白くフワフワとした部分は、粒の内側にあるデンプン部分がふくらんで弾けたものです。

▶ポップコーンの水蒸気爆発のしくみ

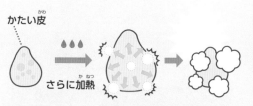

かたい皮
さらに加熱
加熱で水分が
水蒸気になる
水蒸気の圧力が
外側の皮をやぶる
デンプンが
飛び出てふくらむ

火山とポップコーンのどちらも水蒸気爆発なんだ。白米などの穀物でつくられるポン菓子も同じしくみだよ。

まとめ

☐ ポップコーンの元は爆裂種のトウモロコシ
☐ 一気に水蒸気が出て爆発してポップコーンに

石焼き芋が
おいしいのはなぜ？

👉 デンプンが糊化→麦芽糖に分解

はじめて石焼き芋を食べたら、
甘くておいしくてびっくり。

いつも食べるサツマイモより
甘かったよね。

ゆっくり適度な
温度で焼いている
からなんだ。

ためしてみよう！

サツマイモをレンジで
短時間で加熱したものと、
じっくり焼いたものを
食べ比べてみよう。

石焼き芋がおいしい理由はβ-アミラーゼにあり

　熱した石の間にサツマイモを入れて、水分を加えずに間接的に焼きあげた、石焼き芋。石から放出される「遠赤外線」で内部までじっくりと加熱していきます。実は石焼き芋が甘いのは"加熱温度"がポイントなんです。

　収穫したての生のサツマイモはあまり甘くありません。加熱により「β-アミラーゼ」という酵素で「麦芽糖」ができて甘くなるのです。

　石焼き芋ができるまでの変化は2つ。1番目はデンプンを65℃以上に過熱してねっとりとした状態にすること（＝糊化）。2番目は糊化したデンプンにβ-アミラーゼが働いて麦芽糖をつくること。ところが、β-アミラーゼは80℃以上の高温になると壊れて働かなくなります。それではと、65℃を保って長く過熱すると今度はかたくなります。植物の細胞壁をつくるペクチンという成分は65℃くらいでじっくり加熱するとかたくなるためです。

　これら3つの条件を合わせて、65〜80℃の間でゆっくり加熱することで、甘みの強い焼き芋が完成します。それには石焼きが最適なのです。

▶ サツマイモをより甘くするには温度と時間が大切

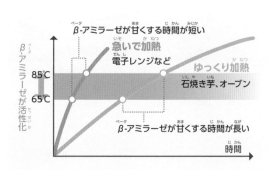

まとめ

　□ サツマイモは加熱すると甘くなる
　□ β-アミラーゼという消化酵素が働く
　□ デンプンが麦芽糖に変化して甘くなる

空気を抜いて温めると どうなる？

☞ 水が気化する沸点と気圧の関係

真空状態で料理をすると
おいしくできるってテレビでいってたよ。

不思議だね。
なにがちがうのかな？

空気が薄いと沸騰する
温度が下がるんだ。
これを利用した
調理法なんだよ。

ためしてみよう！

真空状態で水を
沸騰させてみよう。

気圧が低くなる（真空状態）では沸点が下がる

　富士山の頂上ではカップ麺が上手にできないという話があります。これは気圧が低いことで88℃で水が沸騰してしまうためです。実は、水の沸点（液体が気体になるときの温度）というのは気圧によって変わり、気圧が高いと沸点は高く、低いと沸点が下がります。

　これを応用したものが、真空パックなどで減圧して真空状態で食材を加熱するという調理方法です。温度が低い状態で沸騰するため、食材に高熱によるダメージを与えずにじっくりと火を通すことができ、食材に味がしみ込みやすくなるんです。

　この反対の原理で、圧力をかけて100℃以上の高温で一気に調理できるのが「圧力鍋」です。

▶気圧を下げたときの水を観察

【 必要なもの 】
・つかい捨て注射器　5㎖用
・ゴム管またはストロー
　（注射器の先にきつくはめられ
　　ればOK）
・クリップ（バインダークリップ）

① ゴム管を2～3㎝に切って、注射器の先にはめる。
② 注射器の先から60～80℃のぬるま湯を吸って2㎖の目盛りくらいまで入れる。
③ 注射器の先を上にして、トントンと指で叩いて気泡をとり除く。注射器を押し込んでぬるま湯を約1㎖目盛りくらいまでにする。
④ クリップでゴム管をはさんで密閉させる。力をいれ、3㎖目盛りまで注射器を引っぱる。
⑤ 注射器のなかに空間が生まれて、ぬるま湯がブクブクと沸くのが確認できる。

まとめ

□ 減圧すると沸点が下がる
□ 高山の頂上では沸騰してもぬるめ

氷と水と水蒸気はなにがちがうの？

👉 物体は温度で固体→液体→気体に変化する

氷って重そうなのに
なんで水に浮くんだろう？

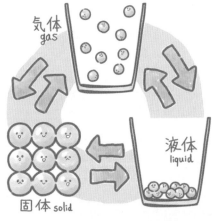

気体 gas

液体 liquid

固体 solid

水の場合は、
凍った方が同じ体積の
液体より軽くなるから。

ためしてみよう！

水を入れたペットボトルを
凍らせてみよう。

どうなるかな？

温度の変化により物体の状態が変わる

　物体には「固体・液体・気体」の3つの状態「物体の三態」があります。固体から液体になることを「融解」、液体から気体になることを「気化（フットウ）」、気体から液体になることを「凝縮」、液体から固体になることを「凝固」といい、気体から固体・固体から気体になることを「昇華」といいます。これを水に当てはめると、固体の状態を「氷」、液体は「水」、気体は「水蒸気」ということになります。すべて同じ物質ですが、温度が変化することで状態が変わり、0℃以下になると氷に、100℃を超えると水蒸気に、その中間の状態が水になります。

▶ **物体の変化には名前がある**

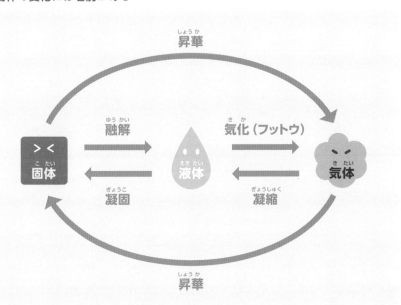

温度によって水分子の動きが変化

　水を凍らせれば氷になり、氷に熱を加えると水に戻り、さらに水を加熱すると水蒸気になる変化を、私たちは普段当たり前のように体験しています。では、この状態変化はどのような原理でおこっているのでしょうか。

　水が液体の状態であるのは温度が0℃〜99.974℃の間です。水の状態のときには、いくつかの水分子が集まっており、さまざまな方向に自由に動きまわっています。

　これに熱を加え、100℃を超えて沸騰すると、集合していた水分子はバラバラになり、さらに激しく動き、早いスピードで空間に飛びまわるようになります。この状態が水蒸気です。水蒸気は私たちの目にはみえません。

　反対に、水の状態を冷やしていき0℃より低くなると、自由に動きまわっていた水分子はお互いにかたく結びついて、氷の状態になるというわけです。

▶ **水の状態変化グラフ**

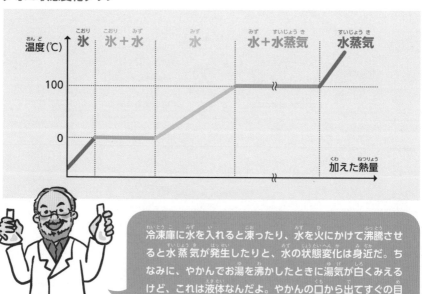

冷凍庫に水を入れると凍ったり、水を火にかけて沸騰させると水蒸気が発生したりと、水の状態変化は身近だ。ちなみに、やかんでお湯を沸かしたときに湯気が白くみえるけど、これは液体なんだよ。やかんの口から出てすぐの目にみえないところが水蒸気なんだ。

体積の大きさは固体＜液体＜気体、水は液体＜固体＜気体

　物質は、状態が変化しても質量は変わりません。しかし、体積は状態によって全然ちがうのです。ほとんどの物質は、固体、液体、気体の順に体積が大きくなります。つまり、分子が自由に動きまわっているほど体積は大きくなり、分子同士がかたまって動けない状態であれば体積は小さくなるのです。

　そのため、多くの物質の場合は、固体の方が液体より体積が小さくなるため液体の下に沈みます。しかし、水だけはちがうんです。水のなかに氷を入れると、上の方に氷が浮かんでいきますよね。

　これは、水が氷になると、結晶となって分子同士がつながり合い、籠のような構造となるから。氷のなかでつながった水分子の酸素原子と水素原子の隙間が大きくなるため、液体よりも大きな体積が必要になるのです。水よりも小さな密度になった氷は、水のなかに入れても浮いてしまうわけです。

▶ **水だけは液体より固体の方が体積が大きくなる**

水以外の固体

ギュッと分子がかたまっているので体積が小さくなる。

氷

分子はかたまっているけど、すきまが空いているので体積が大きくなる。

まとめ

- ☐ **物体は固体、液体、気体になる**
- ☐ **状態が変化しても質量は変わらない**
- ☐ **ほかの物体とちがって水は固体の方が液体より体積が大きい**

平安時代の氷水

　人工の氷をつくるようになったのは、1834年に機械式の製氷機がアメリカで誕生してから。それが日本に伝わり、明治時代半ばには各地に製氷工場が誕生しました。では、それ以前は氷はつかわなかったのでしょうか。

　平安時代に活躍した清少納言の『枕草子』には、削った氷にあまづらという蔓草を煮た金色のシロップをかけて食べたという記述が残っているほか、奈良時代に書かれた日本最古の史書『日本書記』にも氷について記録されています。

　かつて、日本各地には「氷室」という、冬場に降った雪や天然の氷を溶けないように保管する小屋がありました。山間や地下などを利用してつくられた氷室のなかは、地下水の気化熱によって外気より涼しくなっているため、ここに氷と雪を入れて、夏になるととり出して運んでつかっていたのです。そのため、当時氷はとても貴重なもので、一般の庶民はつかうことができず、貴族の贅沢品とされていたといいます。

4章

発酵や熟成の
しくみ

～微生物の力～

ヨーグルトって
なんで体にいいの？

カビがはえた
チーズが
食べられるの？

お腹が
空いてきたニャ

微生物の力

納豆は
腐っていないの？

👉 微生物の"酵素"が活躍して発酵させる

納豆ってネバってるしくさいけど、
ぼくは好きなんだよね。

腐ってるのかなって心配だけど、
納豆はお腹壊さないもんね。
たくあんやチーズもにおいは強いけど
おいしいから、腐ってないってこと？

おいしく食べられる
のは「発酵」だし、
お腹を壊したりする
なら「腐敗」なんだ。

しらべてみよう！

人にとって有益な菌って
なんだろう。
ヒント：発酵食品をつくる
菌をさがせばみつかるよ！

納豆は腐っているのではない!?

　納豆って独特の嫌なにおいがするし、食感もネバネバとしているし、もしかしたら腐っているのかも？　と思ってしまいますよね。でも、腐っているわけではありません。

　そもそも納豆というのは、微生物の"酵素"の働きによって発酵させた「発酵食品」のひとつ。原料である大豆を水に浸してふくらませ、それを煮たら培養した「納豆菌」を大豆にかけて発酵・熟成させてつくります。

▶ 納豆づくりには微生物が関わっている

水に浸して煮た大豆　　　　稲の藁などに住む　　　微生物の酵素が働いて　　納豆のできあがり
　　　　　　　　　　　　細菌・枯草菌の一種である納豆菌

発酵か腐敗か。それは人の都合で決まる！

　発酵とは、動物や植物などの"生物"を由来とする「有機化合物」に、人間の手などによって細菌やカビ、酵母といった微生物を加えて、分解させて別の物質をつくり出すことをいいます。実は、腐敗もこれと同じしくみです。

　では、これらのちがいはなんでしょうか。それは、私たち「人間の価値観」によって決まります。

　微生物を加える過程で、食材がおいしくなったり、香りがよくなったり、ビタミンやアミノ酸といった栄養成分が生まれさらに栄養価がアップすれば、「発酵」といえます。反対に、味やにおい、みた目、食感・質感が悪化し、食べられない状態になれば「腐敗」と呼ばれます。つまり、人間にとって"有益"であれば発酵、"有害"ならば腐敗ということになるのです。

納豆菌は体にいいものをつくり出す

納豆菌とは、田んぼや畑にある稲の藁や枯れ草に多く存在する枯草菌という細菌の一種。この納豆菌が、発酵の過程で大豆に含まれるタンパク質と糖質を分解します。このときにうま味成分のアミノ酸や、ビタミンK2、納豆ならではの酵素であるナットウキナーゼ、ネバネバとした糸などをつくり出します。

このネバネバの主成分である「ポリグルタミン酸」は、アミノ酸のひとつである「グルタミン酸」が長くつながったもの。よく混ぜることで糸を引くような粘りが生まれるのです。

▶ 納豆菌の酵素の活躍

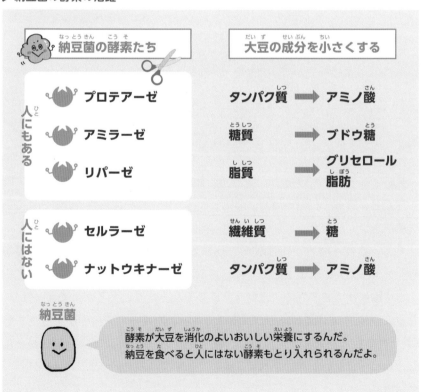

124

腐敗と発酵は菌のちがい？

腐敗は肉や魚といった、タンパク質を含む食べ物でとくによくみられますが、米や野菜、果実でも、適温でない場所に長い時間放置していたら当然腐ってしまいます。つまり、“原料”によって腐敗か発酵をわけることはできません。

たとえば納豆は、煮豆に枯草菌を加えて納豆ができれば発酵になりますが、煮豆を放っておいて勝手に枯草菌が繁殖してしまい、その結果ねばりが出たり、アンモニア臭がした場合は腐敗と呼ばれます。

では、“菌のちがい”ではどうでしょうか。「乳酸菌」によって味噌やヨーグルトがつくられたら発酵になりますが、日本酒（米、米麹と水を発酵してつくる酒）のなかに乳酸菌が繁殖した場合は腐敗したことになってしまいます。これは「火落ち」といって日本酒づくりの天敵といわれます。

つまり、微生物や原料の特徴のちがいではなく、できあがったものを人間がどう判断するかによって発酵か腐敗かがわけられるのです。

▶ いい菌なのに悪さをする？

乳酸菌はいい菌だけど、日本酒を腐敗させてしまうのは、乳酸菌の仲間の「火落ち菌」なんだ。

まとめ

□ 人に有益なのが「発酵」、有害なのは「腐敗」
□ いい菌の仲間でも腐敗させることもある

発酵と熟成は なにがちがうの?

☞ 熟成は自分の酵素で変わること

熟成肉のステーキを食べたけど、
おいしかったなぁ。

熟成させた生ハムもあるんだね。
熟成ってなにがいいのかな?

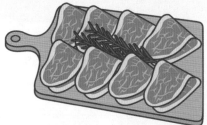

熟成って自分の酵素で
発酵することだよ。
肉がやわらかく
うま味がでてくるんだ。

しらべてみよう!
スペイン産の
熟成生ハムって?
日本の生ハムとは
なにがちがう?

126

保存のために熟成肉が生まれた

熟成とは、適切な温度・湿度のもとで、適切な時間保存することをいいます。

生肉や生魚は長い時間放っておくと腐ってしまいますよね。昔々、人々は捕まえてきた大きな動物や魚を食べきることができず、すぐに腐らせてしまい大部分を捨てていました。ところが中世ヨーロッパで画期的な保存方法が生み出されました。それが熟成です。冷房設備がなかった当時、家畜や獲ってきた動物、魚を家の地下室や洞窟などの温度の低い場所につるして保存したのです。

スペインの「ハモン・イベリコ」とは、イベリコ豚という高級豚をつかった生ハムです。「塩づけ→洗う→塩づけ→洗浄→乾燥・熟成」という工程で、長くおいしく味わえるようにしたもの。なかには5年間も熟成させた生ハムもあるのです。

▶ 生ハムのかたまり（原木）からスライスして食べるよ

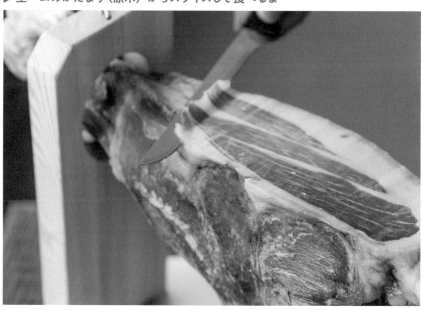

自分の酵素か、ほかの微生物の酵素か

　熟成とは、簡単にいえば、食べ物を寝かせて特殊なうま味や風味を出して
おいしくすること。これは「酵素」の働きによって食材が変化するもので、
本質的には発酵や腐敗と同じです。

　では、これらのちがいはなにか。それは、食材自体に含まれた酵素かどう
か、という点にあります。発酵や腐敗は、ある食材に人の手によって微生物
を加えたり、微生物が勝手に増えておこるもの。食材をエサにする微生物の
酵素によるものです。一方で熟成は、食材そのものにもともと含まれている
酵素の働きによって発酵することをいいます。つまり、食材が自分が持って
いる酵素によって"自家発酵"するのが熟成なのです。

▶ 熟成と発酵と腐敗のちがいは？

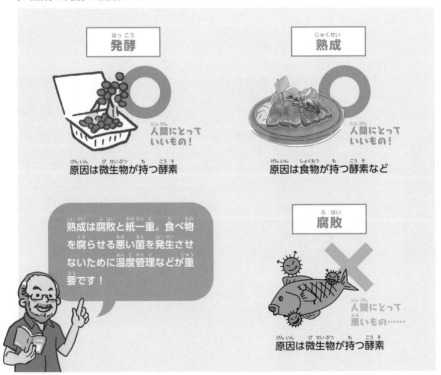

発酵
人間にとって
いいもの！
原因は微生物が持つ酵素

熟成
人間にとって
いいもの！
原因は食物が持つ酵素など

熟成は腐敗と紙一重。食べ物
を腐らせる悪い菌を発生させ
ないために温度管理などが重
要です！

腐敗
人間にとって
悪いもの……
原因は微生物が持つ酵素

熟成するとおいしくなるしくみ

　最近ブームになっている「熟成肉」は、調理前の新鮮な生肉を乾燥した状態で一定期間寝かせた肉のこと。実は肉や魚は、熟成させることで味わいや食感が変化し、独特の風味や香りが出てくるんです。

　生肉の水分を飛ばし、乾燥した状態で保管させていると、肉に含まれるタンパク質を分解する酵素が「筋線維」（＝筋肉を構成する線維状の細胞）に働いて肉をやわらかくさせます。

　また、乾燥が進む過程である特定の微生物が肉に付着します。この微生物の酵素は、肉のタンパク質をうま味成分であるアミノ酸に変えてくれる働きをするんです。うま味については1章で説明しています。

▶ **熟成肉がおいしいのは肉と微生物の酵素のおかげ**

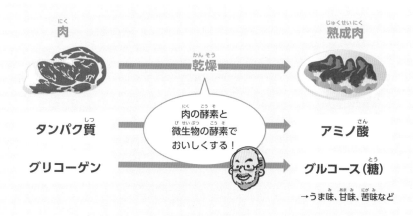

肉　　　　　　　　　　　　　熟成肉

乾燥

肉の酵素と微生物の酵素でおいしくする！

タンパク質　→　アミノ酸

グリコーゲン　→　グルコース（糖）

→うま味、甘味、苦味など

まとめ

☐ 発酵・熟成・腐敗は酵素による変化
☐ 熟成は自分の酵素による「自家発酵」
☐ 発酵は、ほかの微生物の酵素による

129

牛乳を飲むと
お腹が痛くなるのはどうして？

👉 乳糖を分解する消化酵素

うちのお父さん、
牛乳がニガテだって。

おともだちが、牛乳は
お腹が痛くなるのに、
ヨーグルトは好きなんですって。

ヨーグルトには乳糖が
少ないから、牛乳の
乳糖を消化する酵素
が少ない人もお腹を
壊しにくいんだよ。

ためしてみよう！

ヨーグルトをつくってみよう。
ヒント：牛乳500ml、
無糖ヨーグルト大さじ2を
つかうよ。

牛乳が苦手な人がいる

牛乳を飲むとなぜかお腹が痛くなる、下痢になってしまうという理由で牛乳が苦手という人は少なくないでしょう。これには2種類の原因が考えられます。

1つは牛乳アレルギー。これは食物アレルギーのひとつで、牛乳に含まれるα‐カゼインやβラクトグロブリンといった"タンパク質"が原因物質とされています。

そして2つ目の原因には「乳糖不耐症」が考えられます。その名の通り、牛乳に含まれる「乳糖（ラクトース）」が原因となって引きおこされる症状です。

牛乳は、その重量の約80％が水分ですが、そのほかには4.6％の割合で乳糖があります。乳糖は、「グルコース（ブドウ糖）」と「ガラクトース」という2つの分子が結合したもので、人間や牛などの哺乳類の乳だけに含まれている糖です。体内に入ると小腸で消化酵素の「ラクターゼ」によって、ブドウ糖とガラクトースに分解されて吸収されますが、このラクターゼが少ないと乳糖を分解できません。

乳糖不耐症とは、このラクターゼの働きが弱く、乳糖が分解されずに腸管に残ってしまうことをいいます。乳糖のままでは体内に吸収できないので、水分が体内から腸内に出てきてしまうことで、便がやわらかくなり、その結果、腹痛や下痢を引きおこしてしまうのです。

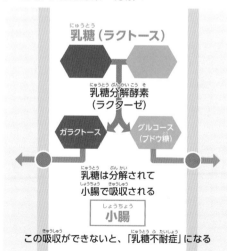

▶ 乳糖を消化酵素が分解！

乳糖（ラクトース）

乳糖分解酵素
（ラクターゼ）

ガラクトース　　グルコース（ブドウ糖）

乳糖は分解されて
小腸で吸収される

小腸

この吸収ができないと、「乳糖不耐症」になる

ヨーグルトってどうやってつくるの？

　牛乳を発酵させた食品であるヨーグルトの起源は、6000〜8000年前の中央アジアまでさかのぼります。遊牧民がヤギや羊の乳を木桶や革袋に入れておいたところ、たまたまそこに入り込んだ天然の「乳酸菌」が発酵してできたものだといわれています。

　乳酸発酵が進んでいくと、乳酸菌が生み出す「乳酸」によって牛乳は酸性になり"固化"します。このかたまった部分がヨーグルトです。

　いまでは、ヨーグルトの製造に、ブルガリア菌、サーモフィルス菌、ビフィズス菌、アシドフィルス菌などのさまざまな乳酸菌の仲間がつかわれています。これらは種類によって異なる特徴を持っていて、乳酸菌の組み合わせ方によって味わいや風味、栄養成分も変わってきます。

▶ ヨーグルトに含まれる菌って？

ブルガリア菌

腸内に住むことはできないけど、腸内で善玉菌のエサになって腸内環境を整えてくれるんだ。

サーモフィルス菌

粘質物をつくるので、ヨーグルトのかたさに関わっているよ。ブルガリア菌の成長を手伝ってくれるので、一緒につかわれることが多い。

ビフィズス菌

乳酸菌とはちがう菌で、人間や動物の腸内にももともと住んでいる善玉菌の一種。整腸作用以外にも健康に効果的な影響が期待できるよ。

ヨーグルトには、ほかにもアシドフィルス菌、ヘルベティカス菌などの乳酸菌がつかわれているよ。

ヨーグルトは乳糖が分解済み！メリットいろいろ！

　牛乳は体にあわないけどヨーグルトなら好き！　という人が多いのはなぜでしょう。ヨーグルトの材料は、基本的には原料乳と乳酸菌だけ。乳酸菌は、発酵の過程で牛乳に含まれる乳糖を分解し、「乳酸」をつくり出します。この乳酸を生成した分だけ乳糖が分解されることになるので、乳糖不耐症の人であってもヨーグルトであればお腹を下さずに済むのです。

　また、乳酸菌は私たち人間の腸内で糖を分解して乳酸をつくり、弱酸性に保ちます。大腸に住むビフィズス菌は乳酸と酢酸をつくりますが、ヨーグルトの乳酸菌がその力を助けて腸内を整えます。このことで、悪玉菌であるウェルシュ菌などを減らせるのです。

▶ 乳酸菌とビフィズス菌が腸で活躍！

腸内に善玉菌のエサになる食物繊維などがあると
酸性に近づき、悪玉菌が増えにくい腸内環境になる。

腸を整える菌を善玉菌、有害な菌を悪玉菌と、わかりやすく呼ぶことがあるんだよ。

| アルカリ性 | 酸性 |

エサがなくて
力が出ない

乳酸と酢酸を
つくるよ

善玉菌が劣勢……　　善玉菌が優勢！

😖 ビフィズス菌　　😊 乳酸菌　　🟢 乳酸と酢酸　　⚪ 悪玉菌

まとめ

☐ 牛乳の乳糖を消化しにくい人がいる
☐ ヨーグルトは乳酸菌が乳糖を分解済み
☐ 牛乳が苦手な人はヨーグルトを食べよう

牛乳（ぎゅうにゅう）を発酵（はっこう）させるとなにができる？

☞ 乳酸菌（にゅうさんきん）でチーズやヨーグルトに

昔（むかし）から牛乳（ぎゅうにゅう）と天然（てんねん）の乳酸菌（にゅうさんきん）でいろんな食品（しょくひん）をつくってたんだ。

やわらかいヨーグルトもかたいチーズも牛乳（ぎゅうにゅう）を発酵（はっこう）させたものなんだね。

発酵（はっこう）したバターやすっぱいクリームもあるんだ。チーズは世界（せかい）に1000種類（しゅるい）以上（いじょう）もあって牛乳（ぎゅうにゅう）だけじゃなくて、ヤギや羊（ひつじ）のミルクでもつくるんだよ。

しらべてみよう！

カッテージチーズを自分（じぶん）でつくる方法（ほうほう）をしらべてみよう。
ヒント：ヨーグルトか牛乳（ぎゅうにゅう）をつかう

134

発酵クリーム、発酵バター、チーズなどができる

　ヨーグルトは乳酸菌によって生乳全体を発酵させたものでしたね。実は、生乳全体から成分をとり出して発酵することで「発酵クリーム、発酵バター、チーズ」もつくられるのです。

　生乳から乳脂肪分以外を除き、乳脂肪分を18%以上にしたクリームに乳酸菌を混ぜて、乳酸発酵するとできるのが「発酵クリーム」です。

　また、クリームを泡立て器などでかき混ぜると、乳脂肪分が分離してバターができます。昔はこのとき天然に存在する乳酸菌が入り込んでいたため、バターができるまでにすべて「発酵バター」になっていました。しかし近代以降になると衛生設備が整い天然の乳酸菌が入らなくなり、発酵しないバターが普及するようになったのです。ヨーロッパではいまも発酵したバターが主流です。

▶ バターとヨーグルトのちがいって？

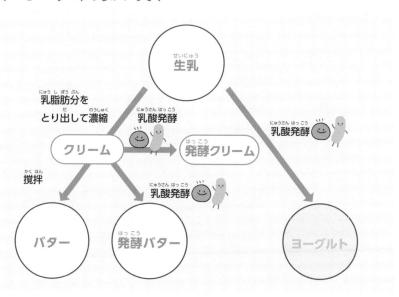

ナチュラルチーズができるまで

　よく食べる乳酸発酵させた食べ物といえば、チーズですね。これは世界中にさまざまな種類があるんです。

　1つはナチュラルチーズ。生乳に乳酸菌や「レンネット（酵素）」を加えると「カード（ミルクのかたまり）」ができあがります。ここからホエイ（乳清）という水分をとり除きます。熟成させないカッテージチーズはここで完成ですが、さらに発酵・熟成させることで、いろいろなナチュラルチーズがつくられます。なお、ホエイとは牛乳からタンパク質の主成分であるカゼインと乳脂肪をとり除いた液体のことです。

　ナチュラルチーズは乳酸菌が生きた状態のため、発酵がどんどん進んでしまい、店で管理するのも大変です。そこで、ナチュラルチーズを原料に加熱・殺菌して発酵を止めた「プロセスチーズ」を開発しました。こちらはより長期間、同じ状態で保存することが可能です。

▶ チーズのつくり方

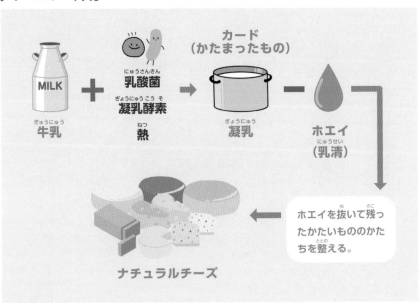

カード
（かたまったもの）

乳酸菌
凝乳酵素

牛乳　＋　熱　→　凝乳　－　ホエイ
（乳清）

ホエイを抜いて残ったかたいもののかたちを整える。

ナチュラルチーズ

発酵〜熟成させて、さまざまなチーズに

　カード（かたまり）からホエイ（乳清）をとり除くとき、どれだけとり除くかでチーズの仕上がりが変わってきます。やわらかいチーズはあまり抜かず、かたいチーズをつくりたければホエイをより多く分離すればいいのです。

　ゴーダチーズやチェダーチーズなどの「ハードタイプ」のチーズは、カードをかたく絞ってホエイをとり除いて水分少なめにつくります。これを数カ月〜数年とよく熟成させることで、濃厚な風味と味わいが生まれます。

　さらに、フランス原産のカマンベールチーズなどの「白カビチーズ」と、ゴルゴンゾーラが代表的な「青カビチーズ」といった種類もあります。それぞれ白カビ・青カビをつけて熟成させたもの。カビはご飯やパンに生えると毒素をつくりますが、成分のちがうチーズでは毒をつくらないため、食べても体への害はありません。

▶ ナチュラルチーズの種類

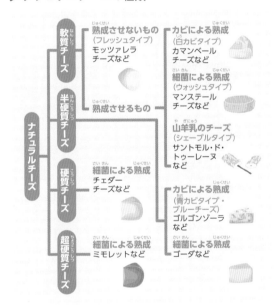

□ 生乳を乳酸発酵でヨーグルトに
□ 生乳＋乳酸＋酵素ーホエイでチーズに
□ 発酵させたバターもある

そもそも発酵ってなに？
日本酒は複雑な発酵をしてる？

☞ 糖化→アルコール発酵という2つの化学反応で酒に

発酵って微生物が活躍するってこと？

そうだね。分解したり、変化させたりするんだ。

パンも発酵させるもんね。

日本酒

そう。実はお酒もパンも同じ微生物でつくるんだよ。

しらべてみよう！

日本酒づくりもパンづくりも、発酵で2つの物質がつくられます。

アルコールともうひとつはなに？

ヒント：パンがふくらむ理由

発酵って微生物がすごい仕事をしてる！

おさらいですが、発酵とは、微生物が有機物を分解して、別の物質に変化させることでしたね。発酵のときに活躍する微生物には「カビ」「細菌」「酵母」がいて、とても小さいため私たちの目にはみえませんが、彼らの働きがなければ発酵はおこりません。

カビには、麹カビ、青カビ、毛カビなどがいますが、発酵によくつかわれるのは麹カビです。

細菌は、発酵食品に欠かせない「乳酸菌、酢酸菌、納豆菌」などがあります。細菌の特徴は、成長と分裂のスピードが速いこと。栄養分をとり込むと、どんどん増殖していきます。

最後に酵母です。酵母菌には、糖を分解してアルコールと炭酸ガス（二酸化炭素）をつくる働きがあります。パンやビール、日本酒などの発酵でつかうサッカロミセスという酵母などが有名です。

▶ 発酵は微生物の共同作業

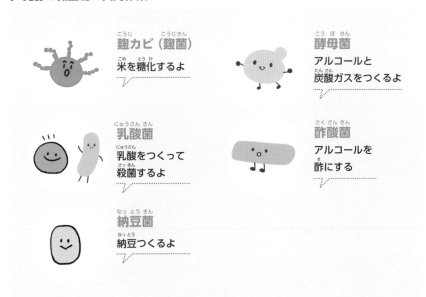

麹カビ（麹菌）
米を糖化するよ

酵母菌
アルコールと炭酸ガスをつくるよ

乳酸菌
乳酸をつくって殺菌するよ

酢酸菌
アルコールを酢にする

納豆菌
納豆つくるよ

酵母に甘い汁を食べてもらって酒になる

　発酵のしくみはちょっと複雑です。原料とする麦や米のデンプンやタンパク質は高分子であるため、微生物がいきなり分解するのは大変です。そこで、「①高分子のデンプンやタンパク質をバラバラの1つの分子にする→②これをさらに分解して新たな物質に変化させる」という2段階のことを植物の酵素や微生物の力で行ってもらいます。

　さて酒づくりの場合にはアルコール発酵というものが行われます。原料を酵素で糖分に分解して、それを酵母が分解してアルコールと炭酸ガスをつくり出す、アルコール発酵によってつくられます。

　たとえば、ビールの場合には、原料である麦芽のなかにある「アミラーゼ」という酵素が、デンプンを分解して麦芽糖に変えます。酵母はそれを自分のエネルギーにしてアルコールと二酸化炭素がつくられるのです。

高分子とは分子がたくさん
くっついていることだよ。

▶ **高分子のデンプンを酵素が分解**

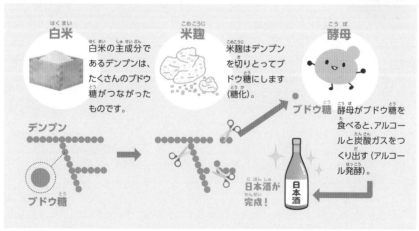

白米
白米の主成分であるデンプンは、たくさんのブドウ糖がつながったものです。

米麹
米麹はデンプンを切りとってブドウ糖にします（糖化）。

酵母
酵母がブドウ糖を食べると、アルコールと炭酸ガスをつくり出す（アルコール発酵）。

デンプン

ブドウ糖

ブドウ糖

日本酒が完成！

日本酒

日本酒は2段階の作業を同時に行ってできる

日本酒とは米・米麹・水を原料とし、アルコール発酵させたものです。アルコール発酵のためには糖分が必要ですが、日本酒の原料である米には糖分は含まれていません。では、日本酒はどのようにして発酵するのでしょうか。

実は、「米麹（麹）」の酵素をつかって、米に含まれるデンプンをブドウ糖に変えているんです（糖化）。この糖分を酵母の働きによって分解し、アルコール発酵しているというわけです。

このように「糖化」と「アルコール発酵」の2つの化学反応を同時に行っている、日本酒の発酵工程を「並行複発酵」と呼んでいます。

これに比べるとワインをつくる際には、ブドウを絞ると「ブドウ糖」とブドウの皮の「酵素」があるので、なにか加えたり糖化させる必要もなく発酵段階に進むのです。

▶日本酒、ビール、ワインの発酵

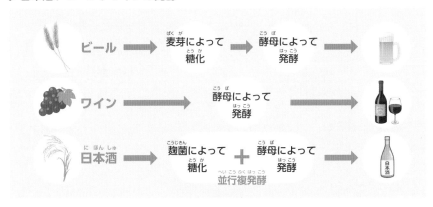

まとめ

☐ 発酵＝微生物が有機物を分解して変化させる

☐ 日本酒は、糖化とアルコール発酵が同時！

☐ 複数の微生物が活躍して発酵する

味噌はどうやってつくるの？
醤油は味噌からつくる？

👉 麹菌がデンプンとタンパク質を分解・発酵

先生！
お味噌汁、おいしくつくれたよ！

ほんとうだ、おいしいね。
なに味噌をつかってる？

米味噌って書いてある。
あれ、でも大豆も入ってるよ。

なんの味噌でも
大豆をつかうんだ。

しらべてみよう！

みんなの家にある味噌は
なに味噌って書いてある？
原材料はなにかチェック
しよう！

味噌にはすべて大豆がつかわれている！

　味噌のおもな種類には「豆味噌」「麦味噌」「米味噌」があります。味噌のパッケージにある原材料名には「名称：米味噌、原材料名：米（国産）、大豆（国産）、塩」といったことが書かれているはずです。

　味噌の種類は「麹」によってわけられていて、どの味噌も大豆がつかわれているのです。米麹がつかわれていたら、大豆がメインでも米味噌なのです。

　米味噌は全国でつくられていて目にすることも一番多いかもしれません。また、麦味噌は九州・四国で、豆味噌は東海エリアでつくられて人気です。

　また「赤味噌、白味噌」という色によるわけ方もありますが、色のちがいはどのくらい発酵する期間をもうけるかによります。長く発酵・熟成するほどに、味噌の色がクリーム色から徐々に濃い茶色、さらには褐色へと変わっていくのです。米味噌の白味噌は5〜20日くらいと短いですが、赤味噌は数カ月〜1年ほど。豆味噌であれば3年も発酵することがあり、色が濃いコクの強い味噌になっています。

▶ 味噌の種類

白味噌　　淡色系味噌　　赤味噌

短 ────────────→ 長

熟成期間

発酵・熟成で色が変わるのは、肉を加熱したときと同じ「メイラード反応」なんだよ。

味噌はどうやってできる?

　さて、味噌のつくり方を説明しましょう。歴史的にみると、味噌づくりはもともと現在の中国・韓国を通じて古代の日本に入ってきたもので、大豆と塩だけを材料としていました。

　豆味噌のつくり方としては、ざっくりまとめると「大豆を蒸して丸める」「麹菌をつけて発酵させて豆麹にする」「豆麹に塩と水を加えて発酵する」という手順です。大豆はタンパク質がたっぷりある食品ですから、これが発酵によってアミノ酸に分解されて「うま味」となるのです。

　さて、豆味噌のつくり方が進化して「米や麦」をつかう味噌が登場しました。米味噌や麦味噌は「米麹＋大豆」「麦麹＋大豆」で発酵してつくるものです。米（麦）と大豆それぞれを蒸したり煮たりしてからつくります。米（麦）に対しては麹菌をつけて発酵させて米麹にして、「大豆に米麹を加えて発酵する」という流れです。

▶ 米味噌のつくり方

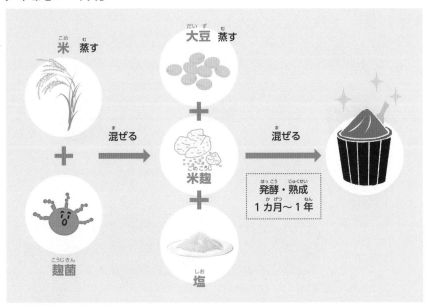

米　蒸す

大豆　蒸す

麹菌

混ぜる

米麹

塩

混ぜる

発酵・熟成
1カ月～1年

味噌と醤油、どうちがう？

　味噌の発酵を進めると、材料の「デンプン質」は麹菌に含まれる酵素が働いてブドウ糖に分解されます。「タンパク質」はペプチドやアミノ酸に分解されます。白味噌はこの段階で発酵を止めます。

　米味噌ではさらに酵母や乳酸菌の発酵が進んで、ブドウ糖がアルコールや乳酸に変化したり成分が変わっていきます。甘くなったり、すっぱくなったり、どれくらい発酵を進めるかで味がちがってくるのです。

　醤油は味噌と似たつくり方ですが、材料と麹を混ぜた「もろみ」を絞る工程があり、アミノ酸たっぷりの液体となります。

▶ 醤油のつくり方

大豆　蒸す

醤油麹

+　　混ぜる　　+　　混ぜる

小麦　炒る

もろみ　　絞る　加熱・ろ過

+

麹菌　　　　塩水

発酵・熟成
6〜8カ月

まとめ

- ☐ 味噌も醤油も大豆からできる
- ☐ 豆味噌は「豆麹」
- ☐ 米味噌は「米麹＋大豆」

微生物の力

漬物はなぜ
味が変わっていくの?

👉 乳酸菌がブドウ糖を乳酸にする

焼肉のときにキムチを食べるの好きだなぁ。
キムチもお漬物なんでしょ。

お漬物って、置いておくと、
とてもすっぱくなるよね。

よく知っているね。
それは
「乳酸発酵」って
いうんだよ。

ためしてみよう!

好きな野菜を塩づけにして
味の変化を楽しもう。
つけてすぐ、数日後、
1週間後はどうなる?

146

乳酸菌が糖分を分解しておいしくする

キュウリなど野菜に塩をふると、浸透圧で水がでてくるという話は2章でしましたね。そのまま置いておくと徐々に酸味がでてきたり、味が変わってきます。これは野菜にもともとついている「乳酸菌」によって発酵したものです。

乳酸菌が発酵するとなにがおこるかといえば、ブドウ糖を分解して乳酸にするというものです。化学式でいえば、ブドウ糖 $C_6H_{12}O_6 \rightarrow$ 乳酸 $C_3H_6O_3$ に変えるという働きをします。化学式がよくわからなくても、数字が半分になっていますので、ひとつのブドウ糖を2つの乳酸にわけるというイメージです。

ところで、乳酸菌というのはどこにでもいる菌です。乳酸菌は特定の菌をさすのではなく、「糖分を乳酸に変えてすっぱくする」のが得意な菌で、種類も豊富にあるんですよ。植物性の乳酸菌は、味噌、醤油、漬物などに利用され、動物性の乳酸菌は乳製品の加工に利用されます。また、動物の腸に住んでいる「ビフィズス菌」もその仲間です。

▶乳酸発酵とは？

キュウリ　　乳酸菌で発酵　　キュウリの漬物

グルコースを分解！

グルコース
$C_6H_{12}O_6$

乳酸
$2C_3H_6O_3$

乳酸発酵はチーズやバターをつくるときにも行われる

植物に糖分がある？

　乳酸菌で分解するのは「糖分」だといいましたが、そもそも植物に糖分があるというイメージはありますか？　サツマイモに糖分があることはわかりますが、すぐにはピンとこないかもしれません。実は植物も動物も「糖質、脂質、タンパク質、水」でできています。つくられる原料は同じものでできているんですね。動物と植物で大きくちがうのは、糖分の割合です。動物と比べて糖分の割合が大きいのが植物です。この糖分とは、光合成で得た炭水化物です。

　タンパク質と聞くと「肉」を思い出すかもしれませんが、これは動物も植物も、生物すべてに必要な成分です。野菜が脂質があるというと驚きますが、生き物には脂質も必須です。

▶ 植物と動物はなにでできている？

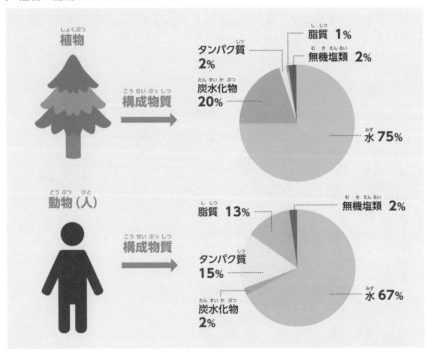

味だけではなく香りも変わる

　乳酸菌の役割は糖分を乳酸に変えるだけではありません。酸味を増すことによって、ほかの菌を退治して、おいしくなくする菌を減らすという役割があります。このため、乳酸菌の働きで腐りにくくするわけです。このため、漬物は数日発酵させたものもありますし、数カ月、半年発酵させることも可能なのです。

　また、乳酸発酵する際には、乳酸だけではなくアルコールなどさまざまな有機物が生まれます。アルコールと有機物からエステルというよい香りのもとが発生するため、香りもよくなるのです。

　漬物には「糠づけ」「麹づけ」といったものもあります。この場合には、乳酸菌発酵と、酵母による発酵が行われることで複雑なおいしさになるのです。

▶ 糠づけのつけ方

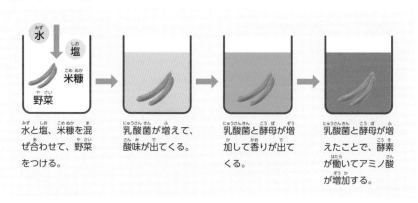

水と塩、米糠を混ぜ合わせて、野菜をつける。

乳酸菌が増えて、酸味が出てくる。

乳酸菌と酵母が増加して香りが出てくる。

乳酸菌と酵母が増えたことで、酵素が働いてアミノ酸が増加する。

まとめ

☐ 乳酸発酵で乳酸ができる
☐ 漬物は乳酸ですっぱくなる
☐ 発酵でよい香りが出てくる

甘酒やみりんはどうして甘い？ 酢はなぜすっぱい？

☞ 糖化→アルコール発酵→酢酸発酵

みりんって甘いシロップでできてるの？

みりんは、お酒づくりと同じなんだよ。

甘酒は？ お酒なの？

甘酒は お酒じゃないんだよ。 糖化させたものなんだ。

しらべてみよう！

スーパーや家にある みりんの材料を しらべてみよう。 アルコール分はどのくらい？

150

伝統的なみりんづくりと甘酒

　スーパーなどで売られている「みりん」と表示されてあるものを、よくみてみると、次のような種類があります。「みりん（本みりん）」「みりん風調味料」「みりんタイプ調味料」というものです。みりんは伝統的な製法でつくられたもので、アルコール度数が14％以上あります。これに対して、みりん風調味料は1％以下、みりんタイプ調味料は8％ほどとなっていて、現代風にアレンジされたものです。

　ここでは、伝統的な製法である、みりんのつくり方をみてみましょう。

　原料は「もち米、米麹、焼酎かアルコール」です。蒸したもち米に、米麹とアルコールを一緒にタンクに入れます。すると米のデンプンは麹の酵素アミラーゼの働きによって、ブドウ糖に分解（糖化）されます。

　このとき、もち米のタンパク質も分解されて、アミノ酸などのうま味も生まれています。こうして60〜90日ほどで、もろみというおかゆ状態になります。もろみを絞って、さらに1〜3年熟成させることで、独特の風味を持つ、みりんができあがります。

▶ みりんのつくり方

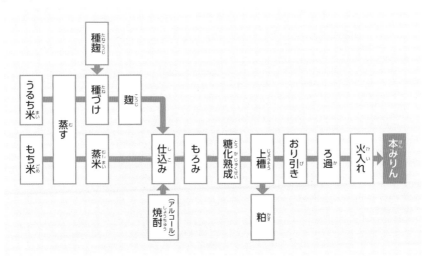

みりんも日本酒もつくり方は同じ

　実は日本酒もみりんも、ほぼ同じつくり方です。日本酒の場合には、ブドウ糖が酵母のエサとなって、アルコールと二酸化炭素をつくる、つまりアルコール発酵が行われていきます。ほどよいアルコールと甘さになったところで、火入れをして酵母の働きを止めて完成します。

　みりんはアルコール発酵をさせずに、40％ほどのアルコール分を最初から加えてあります。酵母は自分で糖分からアルコールをつくる力があるのですが、あまりアルコール度数が高い環境では生きられません。最初からアルコール度数が高いため、酵母が活躍することもなく、糖分をエサにしてアルコールに変える発酵をさせていないわけです。このため、甘いみりんができるというわけです。

▶ **アルコール発酵させると日本酒に**

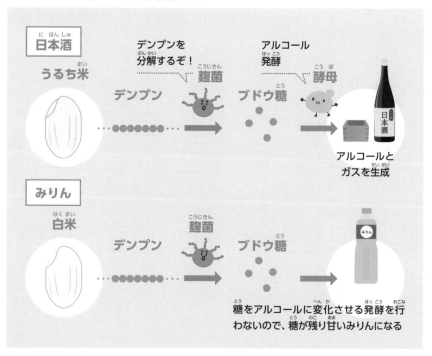

152

甘酒はどうつくる？　酢はどうちがうの？

　もち米と米麹でつくる甘酒も、みりんと同様につくります。蒸したもち米と米麹を混ぜて、デンプンが糖化されて甘くなったものが甘酒です。酵素は60℃ほどで活発になるため、保温容器などで温度を維持してつくります。しっかり甘くなったというタイミングを見計らって、火を通して働きを止めて酵素の働きを止めて完成します。

　ところで、すっぱい調味料の代表である「酢」は、どうつくるのでしょうか。米と麹と酵母からまずアルコール発酵させて、もろみをつくります。そこに「酢酸菌」を加えて酢酸発酵させます。これにより、レモンの酸味と同じ「クエン酸」が生まれるというものです。

▶ 日本酒と甘酒と酢って？

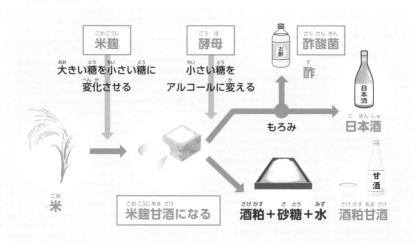

米麹	酵母		酢酸菌
大きい糖を小さい糖に変化させる	小さい糖をアルコールに変える	酢	

もろみ　日本酒

米　米麹甘酒になる　酒粕＋砂糖＋水　酒粕甘酒

まとめ

□ 麹菌のアミラーゼでデンプンを糖化
□ 酒は糖化→アルコール発酵
□ 酢は糖化→アルコール発酵→酢酸発酵

冷凍庫や缶詰はなぜ食べ物が長持ちする？

👉 酵素・微生物はマイナス18℃で活動停止

冷蔵庫に入れると、
お肉も長持ちするね。

パイナップル

もも

みかん

防災セットの乾パン、
賞味期限が5年だって！

しらべてみよう！

缶詰やびん詰め、
レトルト食品の
賞味期限はどのくらい？
表示をみてみよう！

腐敗・発酵の力を
弱めるからなんだ。

154

冷凍や殺菌で腐敗・発酵させない！

　食べ物が悪くなるのは、食品の酵素で分解されたり、腐らせる原因の菌が増えることなどが原因です。酵素や菌は30〜40℃くらいが好きで、低い温度は苦手。とくにマイナス18℃以下では酵素や菌が活動できなくなります。そこで、業務用の冷凍庫はマイナス18℃以下に設定されているのです。

　なお、解凍する際に室温で溶かすと汁が出てくることがあるはず。ここには、おいしい成分がつまっていますが、菌にとっても大好物なのです。菌の増加を防ぎ、おいしさを逃さないためにも、冷蔵庫内で解凍しましょう。

　さて、缶詰やびん詰め、レトルト食品というのは保存料をつかっていませんが、常温でも長持ちします。それは、容器に密閉して高温で加熱して殺菌しているため。120℃以上で4分間、加熱して無菌化することで、長期保存ができるわけです。

▶ **食品の酵素や微生物の活動を止める**

マイナス18℃以下では微生物や酵素が活動できない……

微生物　　　　　野菜　　　　　栄養価を落としてしまう酵素

だから、食べ物が長持ち！

まとめ

☐ **酵素や菌を眠らせて長持ち**
☐ **缶詰は無菌化されている**

紅茶と緑茶が同じ葉っぱってホント?

☞ 緑茶は乳酸菌や酵母の働きを止めたもの

ケーキあるからお茶飲む?
緑茶も紅茶もあるよ。

実は、緑茶と紅茶は
同じ葉っぱなんだよ。

え、でもまったく
色も味もちがうよね。

紅茶は酸化発酵させた
ものなんだよ。

しらべてみよう!

緑茶にはどのような
種類がある?
紅茶とウーロン茶は
味や色はどうちがう?

みた目も味もちがうけれど同じお茶の葉

日本の緑茶も、インドやスリランカでつくられる紅茶も、そして中国のウーロン茶も、すべて同じお茶の葉っぱからできています。

紅茶はつんできた葉を生乾きの段階でもんで、お茶自身の酸化酵素が化学変化をうながして、葉っぱは赤い色になっていきます。ウーロン茶も同様に酸化発酵させますが、ある程度のところでゆでて化学変化を止めます。紅茶やウーロン茶は微生物による発酵ではありませんが、「酸化発酵」と呼んでいます。

これに対して、煎茶や番茶などの緑茶は、お茶の葉をつんだあとにすぐ蒸して、天然の乳酸菌や酵母が働かないようにしてつくられるのです。なお、麹菌で発酵させた中国茶もあります。

▶ 発酵によってちがうお茶の種類

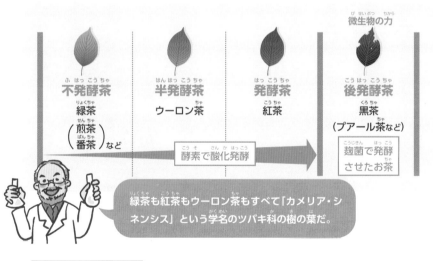

微生物の力

不発酵茶
緑茶
(煎茶 番茶)など

半発酵茶
ウーロン茶

発酵茶
紅茶

後発酵茶
黒茶
(プアール茶など)

酵素で酸化発酵

麹菌で発酵させたお茶

緑茶も紅茶もウーロン茶もすべて「カメリア・シネンシス」という学名のツバキ科の樹の葉だ。

まとめ

☐ 緑茶は発酵させないお茶
☐ 紅茶とウーロン茶は酸化発酵させる

みなさんへ

プリンのことからお茶のことまで、
いろんな科学の話をしました。
身近な食べ物に、これほど多くの
科学の謎がひそんでいるんですね。
みなさんがご飯や、おやつを食べて
不思議に思うようなことがあったら、
ぜひ、謎解きに挑戦してみてください。
謎解きのカギとなるのが
科学なんです。

ご家族へ

科学は学校や研究室だけにある、特別なものではありません。
ご家族も一緒に「おいしい」をテーマに科学へと親しんでもら
えたら幸いです。そして、お子さまが料理実験される際には温
かく見守ってあげてください。

【参考文献】

『「食品の科学」が一冊でまるごとわかる』（ベレ出版）／齋藤勝裕・著

『「発酵」のことが一冊でまるごとわかる』（ベレ出版）／齋藤勝裕・著

『虫歯から地球温暖化、新型コロナ感染拡大まで
　　　　それ全部「pH」のせい』（青春出版社）／齋藤勝裕・著

『中学入試対応　ツッコミ！理科』（永岡書店）
／花まる学習会代表　高濱正伸・監修、スクールFC　江上修・著

【制作スタッフ】

企画・構成・編集　　オフィス三銃士
カバーデザイン　　　山内宏一郎（SAIWAI Design）
本文・図版デザイン　浅井美穂子（オフィスアスク）
人物イラスト　　　　zukio
編集　　　　　　　　滝川昂（株式会社カンゼン）

ごちそうさま
でした！

【著者プロフィール】

齋藤 勝裕（さいとう・かつひろ）

1945年5月3日生まれ。1974年、東北大学大学院理学研究科博士課程修了、現在は名古屋工業大学名誉教授。理学博士。おもな著書に「絶対わかる化学シリーズ」(講談社)、「わかる化学シリーズ」(東京化学同人)、「わかる×わかった！化学シリーズ」(オーム社)、『料理の科学』(SBクリエイティブ)、『「発酵」のことが一冊でまるごとわかる』『「原子力」のことが一冊でまるごとわかる』『身のまわりの「危険物の科学」が一冊でまるごとわかる』(ベレ出版)ほか多数。

食べ物のなぜ・不思議でわかる！
10歳からの「おいしい」科学

発 行 日	2024年1月22日　初版	
著　　者	齋藤 勝裕	
発 行 人	坪井 義哉	
発 行 所	株式会社カンゼン	
	〒101-0021	
	東京都千代田区外神田2-7-1 開花ビル	
	TEL 03 (5295) 7723	
	FAX 03 (5295) 7725	
	https://www.kanzen.jp/	
	郵便為替 00150-7-130339	
印刷・製本	株式会社シナノ	

●●●●●●●●●